Submarino 1

Guía didáctica

María Eugenia Santana
Mar Rodríguez

edelsa

Primera edición: 2019

© Edelsa, S.A. Madrid, 2019

© Autoras: María Eugenia Santana y Mar Rodríguez

Equipo editorial
Coordinación: María Sodore
Edición: Óscar Cerrolaza
Ilustraciones: Gustavo Mazali
Diseño de cubierta: Carolina García
Diseño y maquetación de interior: Estudio GRAFIMARQUE, S.L.
Corrección: Montse Sanz

Fotografías: 123 rf

Audio
Dirección de locución, composición de canciones y grabación: Fernando Navarro y Mauricio Corretjé
Voces de la locución y de las canciones: Isabel Dimas, Mercedes Salvadores y Mauricio Corretjé

ISBN: 978-84-9081-103-0
Depósito legal: M-3665-2019
Impreso en España/*Printed in Spain*

ÍNDICE

INTRODUCCIÓN

SUBMARINO 1: UN MANUAL PARA NIÑOS Y NIÑAS QUE EMPIEZAN A ESTUDIAR ESPAÑOL

1. OBJETIVO

Submarino 1 es un manual para la enseñanza del español como lengua extranjera destinado a niños y niñas de entre 6-7 años. Este proyecto es la continuación del nivel anterior -*Submarino*- y comparte el mismo propósito de ofrecer a los profesores y a las profesoras de ELE un material de calidad, capaz de dar respuesta a las **necesidades específicas** de sus aprendientes infantiles. Si *Submarino* iba dirigido a los niños y niñas que aún no se habían iniciado en el proceso de lecto-escritura en su propia lengua materna o se encontraban en una etapa muy temprana del proceso, *Submarino 1* se dirige a aprendientes que ya se han iniciado en el mismo. Por tanto, para el diseño y desarrollo de las unidades, se han tenido en cuenta las **características evolutivas** de esta franja de edad. Asimismo, hemos reflejado nuestra **experiencia** como profesoras de ELE también para niños y niñas de estas edades.

El aprendizaje de una lengua extranjera en edades tempranas les aporta grandes beneficios, pues fomenta el desarrollo de sus aptitudes y capacidades lingüísticas, así como una apertura hacia otras lenguas y culturas. Con este manual queremos aportar nuestro granito de arena y crear las condiciones pedagógicas

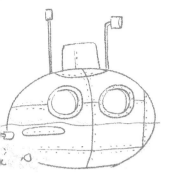

idóneas que propicien la enseñanza de ELE en la primera infancia, teniendo siempre muy presente que, en estas edades, el aprendizaje se articula a través de la curiosidad. Canalizar esta curiosidad hacia el aprendizaje de una lengua extranjera requiere crear situaciones que, mediante personajes empáticos, ilustraciones atractivas, historias con valores, actividades lúdicas y una transición suave y natural de los textos orales a los escritos, les motiven a expresarse hablando, cantando, jugando, dramatizando, dibujando o creando manualidades, todo ello en español. En otras palabras, la lengua meta solo les interesará si conseguimos que esta también les sirva como vehículo para expresarse y descubrir.

2. LOS PERSONAJES

Nuestro gran protagonista es Tinta, un simpático pulpo con ganas de aprender, que estudia en clase de sus dos grandes amigos, Valentina y Mateo. Los tres comparten aula con Cristina, Lucas, Pablo y Sofía. Son los personajes de *Submarino*, por si usted y sus estudiantes estuvieron el año pasado con el curso prelector. Pero, todos han crecido; los vemos un poquito mayores porque ha trascurrido un curso académico. Mateo ya tiene siete años y Valentina los cumplirá muy pronto. Además, tienen una profesora nueva de español, la señorita Merino que les guiará a lo largo de todo el manual.

Los niños y niñas se verán reflejados en Mateo y Valentina y las meteduras de pata de Tinta les harán ser partícipes de su aprendizaje de la lengua. Como en la vida real, los personajes continúan aprendiendo, desarrollando sus habilidades motrices, sociales y lingüísticas, aunque Tinta sigue siendo el personaje travieso que aprende español mientras va descubriendo la cultura hispana.

El submarino es un personaje más que cobra especial importancia en este manual porque, en cada unidad, los protagonistas se desplazan en él para visitar y descubrir un país hispanohablante diferente. De esta manera, los niños y niñas se acercan a la realidad cultural de México, Argentina, Colombia, Perú y Cuba a través de un viaje.

3. ESTRUCTURA DEL MANUAL

Submarino se estructura en seis unidades didácticas que cubren los siguientes ámbitos, presentados siempre desde la perspectiva del mundo de la experiencia infantil y de sus centros de interés:

1. Los amigos
2. La clase
3. La ropa
4. El cuerpo
5. Los animales
6. La familia

Cada unidad didáctica se desarrolla en **seis lecciones** y cada una se compone de dos páginas, excepto las lecciones 4 y 5, que ocupan una sola página cada una y están pensadas para que se trabajen juntas. El objetivo de cada lección es el siguiente:

Lección 1: Es la página doble ilustrada con la que se abre cada unidad y cuyo objetivo es presentar de manera visual el contenido léxico, la situación comunicativa de la unidad y las funciones comunicativas que se trabajan de forma oral.

Lección 2: No solo presenta siempre una canción y propone unas actividades que combinan las cuatro destrezas para trabajar el vocabulario y las estructuras previamente presentadas, sino que, además, da un paso más planteando una exigencia extra para sus estudiantes.

Lección 3: Titulada **Las aventuras de Tinta**, incorpora una historia protagonizada por Valentina, Mateo y Tinta. Más allá del componente lingüístico, se trabaja además la educación en valores, como el respeto a la diversidad o el trabajo en equipo.

Lección 4: Llamada **Conexión con...**, su objetivo es vincular el aprendizaje del español a otras disciplinas, como, por ejemplo, las Matemáticas o las Ciencias. De este modo, la lengua actúa como vehículo de comunicación en múltiples contextos de aprendizaje.

Lección 5: Denominada **Explora**, se ocupa del reconocimiento de elementos culturales vinculados a la cultura hispana.

Lección 6: Titulada **Crea**, está destinada a la realización de una manualidad, estrechamente vinculada al tema trabajado, y que permite desarrollar actividades comunicativas que fomentan la interacción y el uso de la lengua en contexto.

Cada una de las actividades propuestas viene introducida por un **icono**, en función del tipo de tarea primordial que se realice. Por ejemplo, cuando la actividad requiere que el niño o la niña coloree, aparece la imagen de Tinta sosteniendo unos lápices de colores en la mano. Es una manera divertida de introducir acciones y rutinas de clase y que el alumnado las vaya aprendiendo de manera natural. En esta guía, además, le iremos dando sugerencias de cómo presentar las actividades con las instrucciones completas. Si puede proyectar estos iconos, en la versión digital del libro los encontrará al inicio. Si no, al final de esta guía se los ofrecemos para que los pueda fotocopiar y crear con ellos fichas, lo más grandes posible, para podérselas mostrar a sus estudiantes antes de iniciar cada actividad.

Cada lección tiene asociadas una serie de recursos digitales alojados en la plataforma virtual de Edelsa, así como unas actividades imprimibles, para aquellos docentes que deseen extender o reforzar un poco más las lecciones, y una actividad de evaluación para monitorizar el grado de consolidación de los contenidos presentados y el estado de ánimo de sus aprendientes.

En esta guía le vamos a proponer, además, una serie de actividades y surgerencias para cada clase. Sabemos que cada grupo progresa de manera diferente y somos conscientes de que, en algunos casos, la carga horaria de los cursos es distinta. Por este motivo, con estos recursos, si usted dispone de más tiempo, puede utilizarlos libre y gratuitamente.

4. PRINCIPIOS PEDAGÓGICOS

Submarino 1 tiene en cuenta las características evolutivas de los niños y niñas de 6-7 años para garantizar una **experiencia de aprendizaje significativa y enriquecedora**. El objetivo principal es volver a proporcionar a sus estudiantes experiencias de aprendizaje enfocadas más en el **proceso** que en el producto,

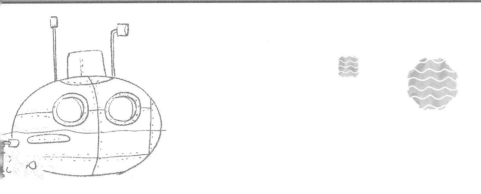

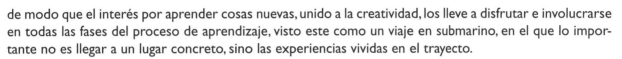

de modo que el interés por aprender cosas nuevas, unido a la creatividad, los lleve a disfrutar e involucrarse en todas las fases del proceso de aprendizaje, visto este como un viaje en submarino, en el que lo importante no es llegar a un lugar concreto, sino las experiencias vividas en el trayecto.

Continuando con el modelo de enseñanza-aprendizaje de *Submarino*, proponemos una metodología que **parte en primera instancia de la comprensión**. Por esta razón, el léxico es una herramienta fundamental, ya que, si no conocen las palabras con las que comunicarse, los niños y niñas pueden sentirse desmotivados. Cada unidad parte de una ilustración atractiva donde, entre otros contenidos, se presenta el léxico de la unidad. Además, dispone de tarjetas o *flashcards* que puede utilizar, tanto en soporte papel como en soporte digital, para permitir la práctica y repetición de este, pues, **un segundo paso es la repetición**, ya que ello ayuda indudablemente a la memorización y, a estas edades, participar repitiendo es una ayuda. Pero el aprendizaje no puede quedar ahí, es necesario utilizar la lengua en **actividades que impliquen activamente a sus estudiantes**. Los niños y niñas se sienten muy motivados si pueden hablar de sí mismos, de su familia y de su entorno.

Sin embargo, una de las grandes novedades respecto a *Submarino* es que se incorporan actividades que requieren que su estudiante se haya iniciado en la **lectoescritura**. Es primordial entender que el proceso de lectoescritura es complejo y que es necesario que el niño o la niña haya alcanzado determinados niveles de madurez con respecto a estos tres factores: el desarrollo de la psicomotricidad, la función simbólica y la afectividad.

Los niños y niñas de estas edades, en general, ya han superado el estadio pre-silábico y silábico y se encuentran inmersos en el estadio alfabético, es decir, ya han comprendido la naturaleza del sistema de escritura al identificar la relación de una letra para cada fonema. Sin embargo, es necesario tener en cuenta que se trata de un proceso continuo que no viene determinado por la edad cronológica y que, además, está fuertemente influido por la lengua de origen. Por consiguiente, puede haber diferencias notables entre estudiantes de una misma edad. En consecuencia, es indispensable conocer el nivel de lectoescritura de los niños y niñas del grupo-clase para así adaptar, de manera acorde, la forma de presentar las actividades, así como el grado de apoyo y guía necesario.

Otra de las novedades de *Submarino 1* es que se incorporan **más canciones** en cada unidad, ya que son un recurso inmejorable para trabajar la comprensión auditiva, la expresión oral y la interiorización de vocabulario, entre otros. Además, las canciones se han vinculado a otras actividades como juegos, bailes o tareas de escritura, fomentando así un trabajo integral de la lengua.

Teniendo en cuenta que por su edad los niños y niñas buscan ser más autónomos, se han diseñado actividades que impulsen y faciliten ese proceso para así ayudarlos a ser más **responsables** y contribuir en la construcción de una buena y sólida **autoestima**. Si bien cada unidad parte con una serie de actividades que requieren al profesor o a la profesora, a medida que se avanza, se van presentando tareas que se caracterizan por otorgar un mayor grado de libertad y autonomía a sus estudiantes.

Estos aprendientes se caracterizan por un importante **desarrollo motriz** y disfrutan dando saltos, bailando o corriendo. Por esta razón, en *Submarino 1* el movimiento está presente tanto en las canciones, como en las dramatizaciones o en los juegos propuestos. Además, hay un trabajo específico en el desarrollo de la **orientación en el espacio** y la **lateralidad**.

En esta etapa evolutiva, el **trabajo manual** sigue jugando un rol importantísimo, por lo que, en cada unidad, en la sección *Crea*, se incluye la realización de una producción artística. Para facilitar el proceso, se han incluido imágenes reales con niños y niñas mostrando cómo hacer, paso a paso, cada una de las creaciones.

Con respecto a los contenidos, se ha estimado conveniente seleccionar temas que tengan una fuerte conexión con **la realidad cercana de los aprendientes**, con el fin de maximizar su motivación e interés. Por este motivo, los grandes temas entorno a los que giran las unidades son: los amigos, la clase, la ropa, las partes del cuerpo, los animales, y la familia.

El léxico se presenta ligado a unas estructuras lingüísticas y de manera contextualizada. A tal efecto, la lengua se utiliza en situaciones propias del mundo infantil y se parte de una clara necesidad comunicativa. Para la selección del léxico se han tenido en cuenta las necesidades comunicativas de los aprendientes de estas edades, su capacidad memorística y de asociación mediante imágenes, canciones y lenguaje corporal, de modo que la escucha y posterior repetición oral culmine en un aprendizaje receptivo en el que las unidades léxicas presentadas, no solo se repiten, sino que se comprenden.

En cuanto a las destrezas lingüísticas trabajadas, se desarrollan todas ellas, pero partiendo y poniendo especial énfasis en **la comprensión auditiva y en la expresión oral**. Por tanto, las actividades son primordialmente orales y la mayor parte del aprendizaje se realiza a través del juego y utilizando el lenguaje corporal para facilitar la comunicación. Mediante la repetición continuada, pero pautada, se entrenará la memoria fonológica de los aprendientes, mejorando su competencia oral en la lengua extranjera. En cualquier caso, en el **Cuaderno de actividades** se le da prioridad a actividades que implican la escritura.

Una de las metas de este manual es contribuir al **desarrollo holístico** de los niños y niñas, por lo que se fomentan conocimientos, destrezas y actitudes que van más allá del ámbito lingüístico. En concreto, el alumnado mejora su **psicomotricidad fina**, desarrolla su **creatividad**, se familiariza con contenidos y mejora sus **habilidades sociales**, entre otros.

Las actividades planteadas a lo largo del manual fomentan el juego y siguen un enfoque comunicativo enfatizando la interacción como medio y como objetivo final en el aprendizaje. De esta manera, el aprendizaje se produce a través de la participación de sus estudiantes en situaciones que requieren utilizar la lengua de manera significativa.

Otro de los pilares básicos del presente manual es dar una buena respuesta educativa a **la diversidad** presente en el aula. Con el propósito de atender a las necesidades educativas de cada niño y niña, las actividades son flexibles y permiten diferentes grados de detalle y profundidad, en función de los diferentes ritmos de aprendizaje y madurez. Además, se incluyen actividades de ampliación y repaso en esta guía didáctica.

Asimismo, se ha tenido en cuenta el periodo silencioso de los niños y niñas y se ha optado por una graduación de las rutinas y las actividades a lo largo del libro. Es decir, en un principio se pone más énfasis en la escucha, la imitación y la repetición y, paulatinamente, los niños y niñas van utilizando el español de manera más autónoma.

Se apuesta por un **aprendizaje competencial** donde el niño o la niña es el protagonista de los procesos de aprendizaje, es un aprendiente activo y experimenta con la lengua. Teniendo en cuenta la curva de

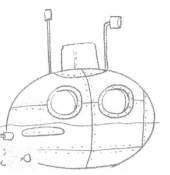

concentración de los aprendientes de edades tempranas, se han incluido una gran variedad de actividades en cada unidad. Las tareas son de corta duración y fomentan la interacción, con el propósito de captar la atención y fomentar un aprendizaje significativo. Además, se potencian diferentes dinámicas de aula ya sea trabajar individualmente, en parejas, en pequeños grupos o con toda la clase.

Submarino 1 también se fundamenta en el **aprendizaje en espiral**, dado que los conceptos se presentan de forma gradual y se van reforzando y revisando a lo largo de todas las unidades para minimizar la curva del olvido y facilitar la recuperación en la memoria de los contenidos aprendidos. Los niños y niñas de esta edad necesitan repasar un mismo concepto de forma sostenida en el tiempo aumentando un poquito la complejidad a la vez que se refuerzan los conocimientos previos. Por esta razón, cada unidad recoge lo aprendido en la anterior dando sentido y coherencia al proceso de aprendizaje.

Otra novedad respecto a otros libros de ELE es que en cada unidad se ha incluido una lección dedicada específicamente a **conocimientos culturales de la comunidad hispana**. La cultura es una herramienta muy poderosa para potenciar el componente afectivo de sus estudiantes hacia la L2, así como para la adquisición de conocimientos que van más allá de lo puramente lingüístico. Nuestro objetivo es que los niños y niñas amplíen sus conocimientos del mundo que les rodea, utilizando el español como lengua de comunicación.

5. VALORES Y FILOSOFÍA

Submarino está impregnado de unos valores y actitudes que promueven el respeto, la igualdad, la multiculturalidad y la iniciativa personal.

Teniendo en cuenta que el factor emocional es clave en la enseñanza, se ha incluido un trabajo de los sentimientos mediante las historias, en particular gracias a Tinta y sus vivencias. A través de diferentes situaciones divertidas, los niños y niñas pueden entender cómo se siente Tinta y seguir el ejemplo de Valentina y Mateo, que siempre se muestran empáticos y dispuestos a ayudar.

Cada una de las actividades ha estado cuidada al detalle para que se fomente la educación inclusiva y se vea reflejada la diversidad presente en la sociedad. Por ejemplo, en la presentación de los modelos familiares, no solo se muestra el modelo tradicional, sino que se reflejan nuevos modelos de familia, como son las familias monoparentales. De igual forma, se ha huido de estereotipos y se apuesta por la diversidad. Por ejemplo, Valentina lleva gafas y uno de los compañeros va en silla de ruedas.

Tanto en las ilustraciones como en las fotos reales, se muestran niños y niñas de diferente origen étnico y/o cultural. Además, se ha puesto especial atención en el tratamiento de género para evitar comportamientos estereotipados. En concreto, tanto niños como niñas realizan todo tipo de actividades y no muestran un carácter marcado o diferenciado por razones de sexo. Actividades como cantar, bailar, crear un comecocos o dibujar son realizadas por ambos sexos, de forma natural y sin diferenciación.

En este sentido y sin querer ahondar en el debate acerca de cómo interfiere el lenguaje que usamos en cómo pensamos, y siendo muy conscientes de que la gramática española *per se* no es sexista al ser el masculino el género no marcado, sí creemos que el uso que se hace de ella puede serlo. Por este motivo, a riesgo de que la lectura sea más farragosa, hemos apostado por la duplicación de palabras, y así nos referi-

mos a sus estudiantes como *niños y niñas*. El objetivo de mantener esta duplicidad es que todas las niñas se sientan plenamente incluidas cuando sus profesores o profesoras se dirijan a la clase. Es un deseo expreso de las autoras que las niñas de cualquier país del mundo, que aún no manejan conceptos lingüísticos, pero que están aprendiendo español con *Submarino*, escuchen de forma continuada una voz que las representa y las visibiliza de forma expresa en el aula de español.

6. LA APERTURA DEL CURSO Y LAS RUTINAS DE INICIO DE CADA CLASE

Si usted ya ha utilizado *Submarino* en su etapa pre-lectora, sus niños y niñas ya conocerán parte de las rutinas, del vocabulario y de las funciones que se presentan y podrá trabajar a un ritmo más rápido mientras inicia a sus estudiantes en la lectoescritura. Si es la primera vez que utiliza *Submarino 1* y sus estudiantes no tienen conocimientos previos de español, será necesario que trabaje cada lección a un ritmo más pausado, prestando mucha atención a las rutinas que le planteamos.

Si es la primera vez que da clase a estos niños y niñas, le sugerimos que empiece el curso conociéndolos o, dicho de otra forma, que sus estudiantes se sientan reconocidos por usted. Para nosotras es fundamental que se presente y les pregunte su nombre a todos y cada uno de los niños y niñas de su aula. Así, no solo se sentirán reconocidos por toda la clase, sino que, además, tendrán la sensación de estar hablando desde el principio en español. Por este motivo, le proponemos que inicie el curso desarrollando un diálogo como el siguiente:

Usted: «¡Hola (haciendo el gesto correspondiente con la mano), clase! Soy la profesora/el profesor de español. Me llamo... (diga su nombre). ¡Hola!».

Tinta (usted habla por Tinta): «Hola, profesor/a. Yo me llamo Tinta. ¡Hola!».

Usted: «¡Hola, Tinta! (Dirigiéndose a los niños y niñas), se llama Tinta».

Entonces diríjase a un niño o niña y hable con él o ella.

Usted: «¡Hola! (Haciendo el gesto correspondiente con la mano), me llamo... (diga su nombre señalándose a sí mismo o misma). Y tú (señalándole con el dedo), ¿cómo te llamas?».

Niño o niña: Dice su nombre, con o sin verbo y saludando o no, no importa.

Usted: «¡Hola, ...! (Repita el nombre del niño o niña) Se llama... (repita el nombre del niño o niña dirigiéndose a Tinta)».

Tinta (usted habla por Tinta): «Hola (repita el nombre del niño o niña). Yo me llamo Tinta».

En caso de que el niño o la niña no conteste, simule el diálogo con Tinta para que tengan el modelo. Una vez que se haya arrancado uno de los niños o niñas y los demás hayan visto cómo funciona, pregunte uno por uno a sus estudiantes su nombre, repítalo y salúdeles. Es muy importante que todos los niños y niñas digan su nombre, le oigan a usted, su profesor o profesora, repitiéndolo y se sientan así protagonistas.

Si ya ha trabajado el curso anterior con estos niños y niñas, le puede resultar igualmente útil utilizar el mismo diálogo para romper el hielo, y que los niños y niñas practiquen los saludos. Según el grado de conocimiento de español de sus estudiantes, el diálogo se desarrollará con mayor o menor agilidad y usted podrá incluso incorporar alguna otra pregunta.

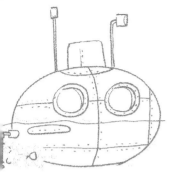

7. MATERIALES DEL CURSO

El curso consta de los siguientes elementos:

a) El **peluche de Tinta** es un *alter ego* de los niños y las niñas. Es un pulpo travieso que aprende español a la vez que sus estudiantes con quienes comparte clase, y al que Mateo y Valentina ayudan en todo momento.

b) **Libro del alumno**. Los niños y las niñas lo manipularán para pegar pegatinas (se incluyen las pegatinas), colorear y escribir en él.

c) **Cuaderno de actividades**: Con actividades para consolidar los contenidos presentados en cada lección. Sigue la misma progresión que el *Libro del alumno*.

d) **Guía didáctica**: Con pautas y sugerencias para hacer más fácil su trabajo docente. Incluye el material fotocopiable.

e) **Audio descargable**: Con los diálogos y las canciones tanto del *Libro del alumno*, por un lado, como del *Cuaderno de actividades*, por otro.

f) **Recursos digitales en www.edelsa.es**:
   • Libro digital.
   • Ilustraciones de entrada imprimibles y proyectables.
   • Tarjetas (*flashcards*) de vocabulario (imprimibles desde la web e interactivas, con audio).
   • Audios descargables.
   • Actividades interactivas como recursos digitales para complementar o enriquecer sus clases.

Las autoras:

María Eugenia Santana

Mar Rodríguez

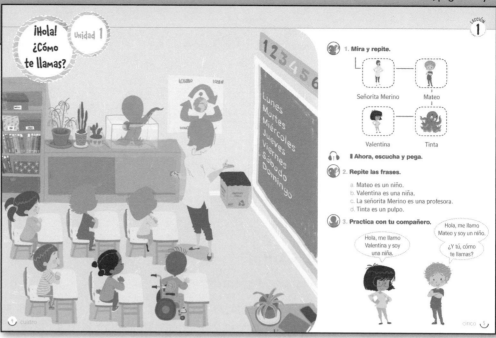

OBJETIVOS:

* Reconocer y reproducir las palabras: *un niño*, *una niña*, *una profesora*, *un pulpo* y *un submarino*.
* Aprender a saludar con *hola* y *adiós* preguntar y decir el nombre.
* Aprender el alfabeto y a deletrear.
* Familiarizarse con los sonidos de las distintas letras a través de los nombres de algunos animales.
* Contar del 1 al 10.
* Identificar los gestos asociados a las instrucciones de la clase y a las actividades del libro.
* Aprender a identificarse diciendo el nombre, el género y el país de origen.
* Familiarizarse con la geografía de algunos países hispanohablantes: Argentina, Colombia, Cuba, México y Perú.

La ilustración que abre la unidad incorpora de forma visual el léxico y las funciones comunicativas que se presentarán en la misma. Es un recurso al que le recomendamos recurrir durante toda la unidad (bien usando el libro o bien proyectando o imprimiendo la ilustración digital completa), para dar coherencia a las actividades planteadas. En el caso de esta primera unidad, recoge uno de los elementos que define el libro, un aula de español, donde se encuentran todos nuestros personajes principales: Tinta, un simpático pulpo que estudia con sus amigos Mateo y Valentina en el aula de la profesora Merino. Los tres comparten aula con Pablo, Lucas, Sofía y Cristina.

LECCIÓN 1

A. ACTIVIDADES INICIALES

Le recomendamos que comience la clase con el diálogo de presentaciones. A continuación, escriba en la pizarra los días de la semana o proyecte la ilustración de entrada y centre la atención en la imagen de la pizarra. Léalos. Al final de este libro, en la página 74, encontrará unas fichas fotocopiables con los días de la semana. Recorte las fichas y utilícelas como estímulo extra. Haga que los niños y las niñas los repitan de forma mecánica mientras les muestra su grafía, para que relacionen sonidos con letras. Diga: «Hoy es… (día que sea)» y pídales que señalen cuál es.

> Refuerce estos contenidos con la actividad 4 de la página 5 del **Cuaderno de actividades**. En ella, se les pide que reconozcan las palabras y unan dos mitades. Es simplemente un reconocimiento gráfico.

B. ACTIVIDADES DEL LIBRO DEL ALUMNO

1. Mira y repite.

En los recursos digitales, encontrará la ilustración con la que se abre la Unidad 1 completa. Si dispone de medios, proyecte la ilustración. Si no, imprímala a color lo más grande posible y muéstresela a la clase. Es importante que en estos primeros pasos sus estudiantes tengan la atención centrada en el mismo punto. Vaya diciendo y señalando el léxico de la unidad en la ilustración: *Señorita Merino, Mateo, Valentina, Tinta*; para que toda la clase, a coro, los repitan.

Proyecte el icono de *mira* o preséntelo en una de las tarjetas (*flashcards*) que tiene al final de esta guía (páginas 72 y 73), diga «mira» y sitúe un dedo delante del ojo y muévalo hacia adelante y hacia atrás varias veces. En este momento, lo importante es exponerles a un *input* contextualizado que les permita entender lo que tienen que hacer mientras se familiarizan con los sonidos de la lengua meta. Insista un par de veces hasta que consiga que los niños y niñas vayan de la comprensión a la producción. Enséñeles las cuatro tarjetas (*flashcards*) de la lección 1 y repita «mira» mientras hace el gesto. A continuación, proyecte el icono de *repite* o muestre la tarjeta correspondiente mientras dice «repite» y gire el dedo índice dando vueltas. Intente, como en las instrucciones anteriores, que sus estudiantes imiten el gesto. Repita varias veces los gestos, intercambiando el orden. De momento se trata de que identifiquen las instrucciones.

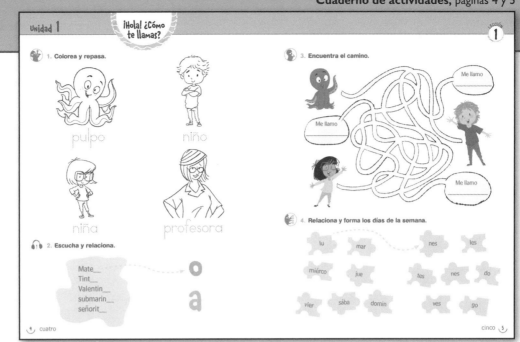

Proyecte o imprima las tarjetas (*flashcards*) de la lección y haga que toda la clase repita las palabras (puede pronunciarlas usted o utilizar la opción de audio incorporada a las tarjetas interactivas): *señorita Merino, Mateo, Valentina, Tinta.* Como complemento, si le parece oportuno, puede repartir las tarjetas anteriores de los personajes, para que cada estudiante diga el nombre de la persona que tiene en su tarjeta, se levante y la señale en la ilustración grande o proyectada; así, también posibilita que sus estudiantes se muevan en el aula.

Cuando considere que ya están familiarizados con los cuatro nombres, cierre la proyección de la imagen o quite el póster.

Ahora, escucha y pega.

Pídales que abran el libro, mientras modela la acción de abrirlo, y muéstreles la página en la que tienen que estar para que la reconozcan visualmente. Diga «Abran/Abrid el libro por la página 4» mientras cuenta con los dedos «uno, dos, tres y cuatro», y escribe el número 4 en la pizarra. Para seguir trabajando con las consignas, muestre la tarjeta o proyecte el icono de *escucha*, diga «escucha» y ponga la palma de la mano detrás de la oreja. A continuación, proyecte el icono de *pega* o muestre la tarjeta correspondiente mientras dice «pega» y hace el gesto de pegar. Intente que toda la clase imite sus gestos. Repita varias veces las instrucciones en distinto orden, para que hagan los gestos. Ponga el audio (pista 1) y pídales que peguen las pegatinas en el lugar correspondiente. Es probable que muchos niños y niñas se guíen por la forma de la pegatina y que no presten atención al audio. Para evitar esto, explíqueles que la regla es que no pueden despegar la pegatina hasta que escuchen la palabra. Cuando peguen la pegatina, tienen que decir «Aquí, aquí».

Una vez que haya comprobado que han pegado las pegatinas de forma correcta, señale a uno de los personajes y pregunte: «¿Cómo se llama?». Es probable que digan solo «señorita Merino», y este es el momento en el que usted dirá «Muy bien, se llama señorita Merino». Repita la misma secuencia con el resto de los personajes hasta que sus estudiantes puedan decir: «Se llama…».

2. Repite las frases.

Pídales que abran el libro por la página 5, mientras cuenta con los dedos «uno, dos, tres, cuatro y cinco», y escribe el número 5 en la pizarra. Señale el ejercicio 2, mientras dice «dos» y cuenta con los dedos. Haga el gesto de repetir girando el dedo índice dando vueltas e intente que sus estudiantes le imiten.

Lea cada una de las frases de la actividad 2 mientras muestra la tarjeta del personaje correspondiente y haga que las repitan. Mientras lo hacen, es aconsejable que miren el libro para que vayan asociando letras con sonidos.

> Refuerce estos contenidos con las actividades 1 y 2 del **Cuaderno de actividades** diseñadas para trabajar la lectoescritura y la discriminación fonética.

3. Practica con tu compañero.

Simule una conversación entre usted y Tinta.

Usted: «Hola, me llamo… Y tú, ¿cómo te llamas?».
Tinta: «Me llamo Tinta».

A continuación, sus estudiantes practicarán en parejas esta conversación y dirán su nombre.

> Refuerce el uso del verbo *llamarse* con la actividad 3 del **Cuaderno de actividades**.

C. ACTIVIDAD DE CIERRE

Tome a Tinta y simule que dice: «Muy bien, niños y niñas. La clase de español ha terminado. Adiós, adiós. Nos vemos el… (día de la semana que volverán a tener clase de español)».

D. RECURSOS DIGITALES

Actividad 1: Tarjetas interactivas (*flashcards*).

Actividad 2: Rompecabezas de los días de la semana.

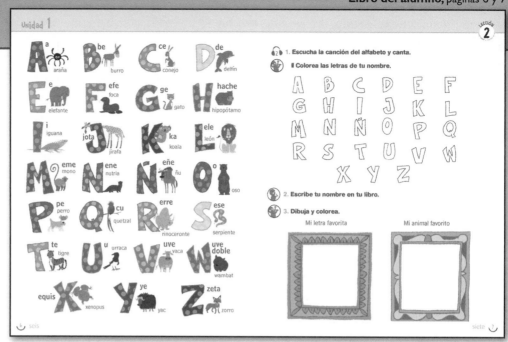

LECCIÓN 2

A. ACTIVIDADES INICIALES

Comience la clase con la siguiente conversación:

Profesor o profesora: «¡Hola, clase! ¡Buenos días! (O buenas tardes, según sea la hora de su curso). Hoy es… (el día de la semana correspondiente)».

Niños y niñas: «¡Hola!».

Profesor o profesora: «Hola, buenos días. (Y tomando a Tinta), ¿cómo se llama? ¿Se llama Tinta?».

Niños y niñas: «¡Sí!».

Profesor o profesora (repitiendo un poco más alto y haciendo el gesto de oír que ya conocen): «¿Cómo se llama?».

Niños y niñas: «¡Se llama Tinta!».

Profesor o profesora: «Hola, Tinta, buenos días».

Tinta (el profesor o la profesora habla por Tinta): «Hola, profesor/a. Hola, niños y niñas».

Profesor o profesora (enseñando la tarjeta de Valentina): «¿Cómo se llama?».

Niños y niñas: «¡Se llama Valentina!».

Repita la actividad con las tarjetas de la señorita Merino y Mateo. Siga practicando hasta que sus estudiantes digan «¡Se llama …!».

B. ACTIVIDADES DEL LIBRO DEL ALUMNO

Pídales que abran el libro, mientras modela la acción de abrirlo y muéstreles la página en la que tienen que estar para que la reconozcan visualmente. Diga: «Abran/Abrid el libro por la página 6» mientras cuenta con los dedos «uno, dos, tres, cuatro, cinco y seis», y escribe el número 6 en la pizarra. Proyecte el icono o muestre la tarjeta de *repite*, diga «repite» y haga el gesto de dar vueltas con su dedo índice. Proyecte la ilustra-

ción del alfabeto de los animales y vaya diciendo cada letra mientras la señala. Primero, diga la letra para que los niños y niñas la repitan y, después, diga el animal para que reproduzcan el sonido dentro de una palabra.

1. Escucha la canción del alfabeto y canta.

Proyecte el icono o muestre la tarjeta de *escucha*, diga «escucha» y ponga la palma de una mano detrás de la oreja. Proyecte el icono o muestre la tarjeta de *canta* y simule que sostiene un micrófono con la mano cerrada en posición vertical, mueva la boca mientras balancea la cabeza como si estuviera siguiendo el ritmo de la música.

Ponga la canción del alfabeto (pista 2). Practique la canción varias veces hasta que puedan cantarla siguiendo la ilustración del alfabeto.

Utilizando la ilustración del alfabeto, haga el siguiente juego: usted dice un animal y los niños y niñas tienen que decir rápidamente el nombre de la letra por la que empieza. Si ve que los niños y niñas lo hacen bien, puede también jugar a decir la letra y que ellos y ellas digan el animal.

> Refuerce estos contenidos con las actividades 1 y 2 de la página 6 del **Cuaderno de actividades** con un repaso de las letras.

Colorea las letras de tu nombre.

Muéstreles la página 7 para que la reconozcan visualmente y diga «página 7» mientras cuenta con los dedos «uno, dos, tres, cuatro, cinco, seis y siete», y escribe el número 7 en la pizarra. Proyecte el icono o muestre la tarjeta de *colorea* y diga «colorea» mientras sostiene varios lápices de colores en las manos. Pídales que coloreen las letras de su nombre mientras las repiten. Cuando hayan terminado, pídales que muestren a toda la clase la página del libro con las letras de su nombre coloreadas y que lo deletreen. Previamente, muéstreles usted su página con las letras de su nombre ya coloreadas y deletree su propio nombre como ejemplo.

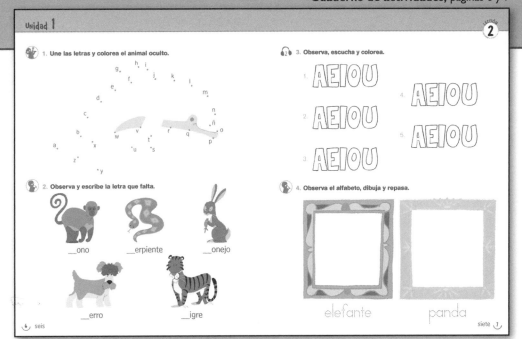

2. Escribe tu nombre en el libro.

Ahora es el momento ideal para pedirles que escriban su nombre en la portada del *Libro del alumno* y del *Cuaderno de actividades*. Explíqueselo y vaya de mesa en mesa ayudándolos y dándoles estímulos positivos.

La autoestima es un factor fundamental en el desarrollo psicológico de los niños y niñas, les ayuda a superar los retos educativos y a sentirse motivados y motivadas. Es un excelente recurso para ayudarlos a creer en sí mismos, a contemplar la vida desde una perspectiva positiva. Especialmente en estas edades, su nombre es muy importante porque es su forma de identificarse y, por esta razón, debemos usarlo frecuentemente cuando les hablamos. Habrá ido observando que en las páginas anteriores le hemos insistido en que repita sus nombres y les salude utilizando sus nombres con la intención de fomentar la empatía entre sus estudiantes y usted. Ahora les pedimos que escriban sus nombres en sus libros, no en el interior del libro, sino en las cubiertas. Esto les hace sentirse importantes.

Dependiendo del nivel de sus estudiantes, como refuerzo extra, quizá pueda pedirles que, no solo escriban su nombre, sino también su apellido. Si le parece oportuno, además, como refuerzo tanto de la autoestima y del reconocimiento social de toda el aula, así como de refuerzo lingüístico, siéntense en círculo y pida que de uno en uno muestren a toda la clase su libro y su cuaderno con su nombre y apellido escritos y que digan su nombre completo. Por supuesto, cuando cada estudiante lo haya hecho, deles usted refuerzo positivo repitiendo su nombre. Si es posible, intente que toda la clase salude a cada estudiante, cuando haya hecho su presentación, repitiendo su nombre.

> Refuerce estos contenidos con las actividades 3 y 4 de la página 7 del **Cuaderno de actividades** con una actividad de identificación gráfica y auditiva, y otra de escritura y dibujo.

3. Dibuja y colorea.

Muestre la tarjeta de *dibuja* o proyecte la *flashcard*, diga «dibuja», tome un lápiz y simule que está dibujando. Después, muestre la tarjeta de *colorea* y diga «colorea» mientras sostiene varios lápices de colores en las manos. Pídales que dibujen y coloreen su letra favorita y su animal favorito. Cuando hayan terminado, pregúnteles: «¿Cuál es tu letra favorita?, ¿Cuál es tu animal favorito?». Modele antes un ejemplo a partir del dibujo de algún niño o niña.

C. ACTIVIDAD DE CIERRE

Tome a Tinta y simule que dice: «Muy bien, niños y niñas. La clase de español ha terminado. Adiós, adiós. Nos vemos el… (día de la semana que volverán a tener clase de español)».

D. RECURSOS DIGITALES

Actividad 1: Salvar la margarita digital con los nombres de tres animales.

Actividad 2: El alfabeto digital, pulsa en las 10 letras que escucha.

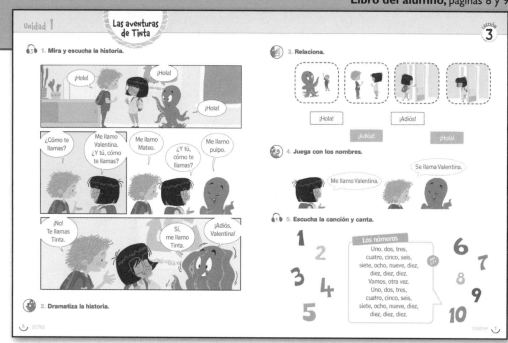

LECCIÓN 3: Las aventuras de Tinta

A. ACTIVIDADES INICIALES

Como habrá visto, poco a poco vamos modificando el diálogo de entrada, para irlo haciendo más exigente para sus estudiantes. Inicie ahora la clase con la siguiente conversación:

Profesor o profesora: «¡Hola, clase! ¡Buenos días! (O buenas tardes, según sea la hora de su curso). Hoy es... (el día de la semana correspondiente)».

Niños y niñas: «¡Hola!».

Profesor o profesora: «Hola, buenos días. (Y tomando a Tinta), ¿cómo se llama? ¿Se llama Tinta?».

Niños y niñas: «¡Sí!».

Profesor o profesora (repitiendo un poco más alto y haciendo el gesto de oír que ya conocen): «¿Cómo se llama?».

Niños y niñas: «¡Se llama Tinta!».

Profesor o profesora: «Hola, Tinta, buenos días».

Tinta (el profesor o la profesora habla por Tinta): «Hola, profesor/a. Hola, niños y niñas».

Profesor o profesora (enseñando la tarjeta de Valentina): «¿Cómo se llama?».

Niños y niñas: «¡Se llama Valentina!».

Repita la actividad con las tarjetas de la señorita Merino y Mateo. Siga practicando hasta que sus estudiantes digan «¡Se llama ...!».

Profesor o profesora (dirigiéndose a un niño): «¿Cómo te llamas?».

Niño: «¡Me llamo Alexander!».

Profesor o profesora: «Hola, Alexander. A, ele, e, equis, a, ene, de, e, erre».

Profesor o profesora (dirigiéndose a una niña): «¿Cómo te llamas?».

Niña: «¡Me llamo Ana. A, ene, a!».

Repita esta dinámica varias veces preguntando a varios niños y niñas para que practiquen el alfabeto y deletreen su nombre. Recuerde que es muy importante, para reforzar la autoestima de sus estudiantes y para que se sientan reconocidos por usted, que todos y todas por igual deletreen y digan su nombre.

B. ACTIVIDADES DEL LIBRO DEL ALUMNO

1. Mira y escucha la historia.

Pídales que abran el libro, mientras modela la acción de abrir el libro y muéstreles la página en la que tienen que estar para que la reconozcan visualmente mientras cuenta con los dedos del uno al ocho y lo escribe en la pizarra. Proyecte el icono o muestre la tarjeta de *escucha* y haga que los niños y niñas repitan «escucha» y que pongan la palma de la mano detrás de la oreja. Como acaba de hacerlo en el diálogo de entrada y ya lo han visto varias veces, lo harán sin dificultad. Estamos dando el paso de la comprensión de la instrucción a la producción oral. A continuación, indíqueles que tienen que mirar señalándose un ojo y haga que repitan la palabra «mira». Proyecte el cómic o haga que la clase mire el libro y ponga el audio (pista 3) de la historia. Póngalo varias veces deteniendo la grabación para que sus estudiantes lo repitan mientras miran el cómic.

2. Dramatiza la historia.

Proyecte el icono de *dramatiza* o use la tarjeta (*flashcard*) y haga que la clase repita «dramatiza» mientras hace gestos exagerados con la cara. Los niños y las niñas también tienen que hacer ese gesto con la cara. Pídales que formen grupos de tres y que cada estudiante elija un personaje para leer en voz alta y dramatizar el cómic con su grupo.

3. Relaciona.

Muéstreles la página 9 para que la reconozcan visualmente y diga «página 9» mientras cuenta con los dedos del uno al nueve, y escribe el número 9 en la pizarra. A continuación,

proyecte de nuevo el cómic y señale los saludos iniciales y la despedida final. Como en las dos clases previas ha mantenido la rutina de saludar al inicio de la clase y de despedirse al final, a los niños y a las niñas les gustará reconocer las dos formas escritas. Proyecte el icono de *relaciona* o use la tarjeta (*flashcard*), mientras dice «relaciona» y encaja los dedos de una mano con los de la otra. Haga que los niños y niñas repitan su gesto. A continuación, pídales que relacionen las palabras de cada caja con una imagen.

> Refuerce estos contenidos con la actividad 1 de la página 8 del **Cuaderno de actividades**. Van a escuchar distintos saludos y despedidas y deben colorear las manos, es decir, identificarlos.

4. Juega con los nombres.

Pídales que se sienten en círculo y pregunten al compañero o a la compañera a su izquierda: «¿Cómo te llamas?». El compañero o la compañera responde: «Me llamo …», y quien ha preguntado tiene que decir: «Se llama …», y el turno pasa al niño o la niña que haya respondido.

5. Escucha la canción y canta.

Nos encontramos en la página 9 del libro y, a lo largo de estas lecciones, usted ha ido introduciendo en sus rutinas los núme-ros cuando indicaba a sus estudiantes que abrieran el libro en una página concreta. Ahora es el momento de aprender los números del 1 al 10 de una forma sistemática con una canción.

Muestre el icono de *escucha* y haga que los niños y niñas repitan «escucha» y que pongan la palma de su mano detrás de la oreja. Ponga el audio de la canción de los números. A continuación, muestre la tarjeta de *canta* y simule que sostiene un micrófono con la mano cerrada en posición vertical, mueva la boca mientras balancea la cabeza como si estuviera siguiendo el ritmo de la música. Ponga la canción (pista 4) mientras toda la clase canta.

> Refuerce estos contenidos con las actividades 2, 3 y 4 de las páginas 8 y 9 del **Cuaderno de actividades** diseñadas para practicar los números.

C. ACTIVIDAD DE CIERRE

Tome a Tinta y simule que dice: «Muy bien, niños y niñas. La clase de español ha terminado. Adiós, adiós. Nos vemos el… (día de la semana que volverán a tener clase de español)».

D. RECURSOS DIGITALES

 Actividad 1: Cómic digital.

Actividad 2: Juego de *memory* de los números.

LECCIÓN

4

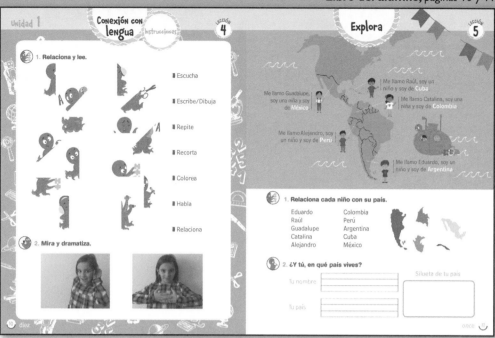

LECCIÓN 4: Conexión con... Lengua

En esta lección corta (de solo dos actividades), van a conocer las instrucciones para seguir el curso.

A. ACTIVIDADES INICIALES

Comience, como en las otras lecciones aunque algo modificado, la clase con la siguiente conversación:

Profesor o profesora: «¡Hola, clase! ¡Buenos días! (O buenas tardes, según sea la hora de su curso). Hoy es… (el día de la semana correspondiente)».

Niños y niñas: «¡Hola!».

Profesor o profesora: «Hola, buenos días. (Y tomando a Tinta), ¿cómo se llama?».

Niños y niñas: «¡Se llama Tinta!».

Profesor o profesora: «Hola, Tinta, buenos días».

Tinta (el profesor o la profesora habla por Tinta): «Hola, profesor/a. Hola, niños y niñas».

Profesor o profesora (dirigiéndose a un niño): «¿Cómo te llamas?».

Niño: «¡Me llamo Alexander!».

Profesor o profesora: «Hola, Alexander. A, ele, e, equis, a, ene, de, e, erre».

Profesor o profesora (dirigiéndose a una niña): «¿Cómo te llamas?».

Niña: «¡Me llamo Ana. A, ene, a!».

Repita esta dinámica varias veces preguntando a varios niños y niñas para que continúen practicando el alfabeto, deletreando su nombre, y para que no se les olvide.

B. ACTIVIDADES DEL LIBRO DEL ALUMNO

1. Relaciona y lee.

Muéstreles la página 10 para que la reconozcan visualmente y diga «página 10» mientras cuenta con los dedos del uno al

10 (sus estudiantes ya podrán contar con usted) y escriba el número 10 en la pizarra. Muestre la tarjeta con el icono de *relaciona* y haga que los niños y niñas repitan su gesto. Pida a sus estudiantes que relacionen las dos mitades que forman parte del mismo dibujo. Enséñeles la mímica que se corresponde con cada consigna o instrucción y pídales que le imiten.

Escucha: poner la palma de la mano detrás de la oreja o tocarse la oreja.

Escribe/Dibuja: simular con los dedos que escriben una palabra con un lápiz en el aire.

Repite: poner el dedo índice en posición horizontal y girarlo sobre sí mismo.

Recorta: hacer el gesto de recortar con los dedos índice y anular.

Colorea: simular con los dedos que uno tiene un lápiz en la mano y moverlo.

Habla: mover los labios como si se estuviera hablando.

Relaciona: encajar los dedos de una mano con la otra.

A continuación, lean las consignas y pídales que relacionen cada dibujo con una instrucción o consigna mientras hacen el gesto correspondiente.

2. Mira y dramatiza.

Pida a un niño o a una niña que haga la mímica de una consigna/instrucción para que el resto de la clase la adivine. Quien la adivine primero pasa a hacer la mímica y así sucesivamente.

> Refuerce estos contenidos con la actividad 1 del **Cuaderno de actividades**. Es una práctica más, para consolidar el aprendizaje.

C. RECURSOS DIGITALES

Actividad 1: Relaciona cifras y números.

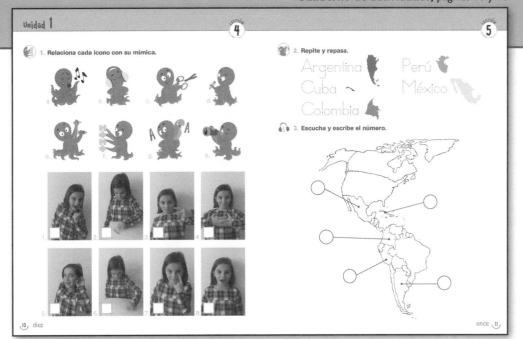

LECCIÓN 5: Explora

En la sección Explora de las seis unidades de nuestro curso, el submarino va a ir llevando a nuestros tres protagonistas, Tinta, Mateo y Valentina, a descubrir nuevos países, todos ellos hispanohablantes. Con esta metáfora visual, estamos invitando a sus estudiantes a un viaje virtual. A lo largo de las siguientes unidades irán ubicando los cinco países, dibujando sus banderas, para crear una imagen de ellos, y conociendo un pequeño rasgo divertido y peculiar. Ojalá consigamos despertar su curiosidad innata por saber más cosas.

D. ACTIVIDADES DEL LIBRO DEL ALUMNO

Proyecte la página 11 del libro y explique a sus estudiantes que Mateo, Valentina y Tinta están viajando en el submarino a México, Perú, Cuba, Colombia y Argentina para conocer a otros niños y niñas y hablar en español con ellos. Señale los países en el mapa para que sus estudiantes los repitan. Después, señale los países y diga los nombres. Después, pida que repitan los nombres. A continuación, lea el texto y pídales que repitan/lean.

1. Relaciona cada niño con su país.

Haga el gesto de relacionar (después de la práctica de la lección anterior, no será necesario enseñar la tarjeta) para que sus estudiantes relacionen el nombre de cada niño y niña con un país y cada país con una silueta basándose en el texto y el mapa que abre esta lección. Si es necesario, vuelva a leer en voz alta cada uno de los cinco minidiálogos.

2. ¿Y tú, en qué país vives?

Modele esta actividad en la pizarra, escribiendo su nombre, su país de origen y la silueta del mismo. A continuación, pida a sus estudiantes que hagan lo mismo en el libro o en un folio de papel extra que usted les dé y que, después, lo compartan con sus compañeros y compañeras.

Refuerce estos contenidos con las actividades 2 y 3 del **Cuaderno de actividades**. En la actividad 2 repasan los nombres de los países y los repiten. En la 3, escuchan un audio y numeran (sitúan) los países. Como complemento, puede pedirles que coloreen los cinco países en el mapa, para que los ubiquen mejor. Los pueden colorear de los mismos colores que en el **Libro del alumno** o en otros, a su gusto.

E. ACTIVIDAD DE CIERRE

Simule que Tinta pregunta a un niño cómo se llama y, si le parece oportuno, que diga: «¿Eres… (el gentilicio del niño o la niña)?» para que respondan *sí* o *no*. Tome a Tinta y simule que dice: «Muy bien, niños y niñas. La clase de español ha terminado. Adiós, adiós. Nos vemos el… (día de la semana que volverán a tener clase de español)».

F. RECURSOS DIGITALES

Actividad 1: Mapa interactivo, coloca México, Perú, Cuba, Colombia y Argentina.

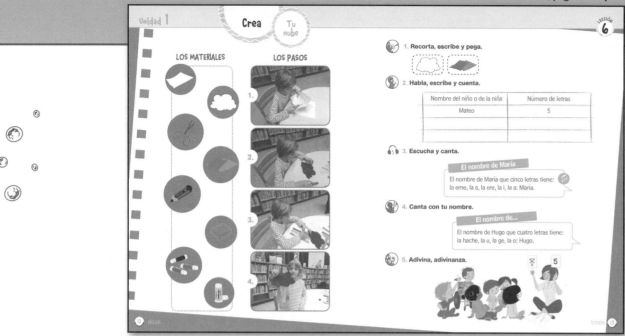

LECCIÓN 6: Crea tu nube

A. ACTIVIDADES INICIALES

Inicie la clase con la conversación que hemos ido trabajando, ahora ya por última vez:

Profesor o profesora: «¡Hola, clase! ¡Buenos días! (O buenas tardes, según sea la hora de su curso). Hoy es … (el día de la semana correspondiente)».
Niños y niñas: «¡Hola!».
Profesor o profesora: «Hola, buenos días. (Y tomando a Tinta), ¿cómo se llama? ¿Se llama Tinta?».
Niños y niñas: «¡Sí!».
Profesor o profesora (repitiendo un poco más alto): «¿Cómo se llama?».
Niños y niñas: «¡Se llama Tinta!».
Profesor o profesora: «Hola, Tinta, buenos días».
Tinta (el profesor o la profesora habla por Tinta): «Hola, profesor/a. Hola, niños y niñas».
Profesor o profesora (enseñando la tarjeta de Valentina): «¿Cómo se llama?».
Niños y niñas: «¡Se llama Valentina!».
Repita la actividad con las tarjetas de la señorita Merino y Mateo. Siga practicando hasta que sus estudiantes digan «¡Se llama …!».
Profesor o profesora (dirigiéndose a un niño): «¿Cómo te llamas?».
Niño: «¡Me llamo Alexander!».
Profesor o profesora: «Hola, Alexander. A, ele, e, equis, a, ene, de, e, erre».
Profesor o profesora (dirigiéndose a una niña): «¿Cómo te llamas?».
Niña: «¡Me llamo Ana. A, ene, a!».

Proceda así varias veces preguntando a varios niños y niñas para que continúen practicando el alfabeto y no se les olvide.

Asegúrese de que, al menos una vez, todos sus estudiantes han hecho ese diálogo.

B. ACTIVIDADES DEL LIBRO DEL ALUMNO

Dibuje una nube en la pizarra, escriba la palabra *nube* y haga que los niños y las niñas la repitan. Explíqueles que van a hacer una nube con todas las letras que tiene su nombre.

Materiales

Una cartulina: fotocopie en ella la plantilla para que tenga más consistencia que si lo hace en una hoja de papel.

La plantilla de la nube: la encontrará al final de este libro, en la página 75. Fotocópiela y haga tantas copias como niños y niñas haya en su aula.

Unas tijeras: para recortar la nube por su perfil.

Cartulinas de colores: para que cada niño o niña las recorte en tiras y pueda escribir en cada tira una de las letras de su nombre.

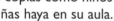

Un lápiz: para que escriban las letras de su nombre, una letra por cada tira que colgará de la nube.

Una goma: por si se equivocan, para poder corregir.

Rotuladores de colores: para que elijan el color que quieran y coloreen la nube.

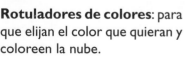

Pegamento: para pegar las cintas con las letras de su nombre.

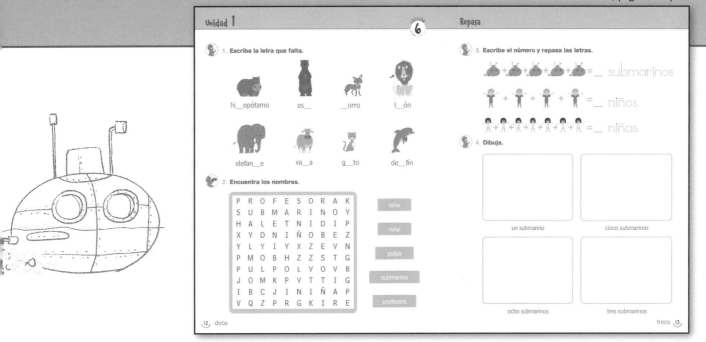

1. Recorta, escribe y pega.

Proyecte la página 12 del libro e indique a sus estudiantes que sigan los cuatro pasos de las fotografías para crear la nube con las letras de su nombre.

2. Habla, escribe y cuenta.

Practique con sus estudiantes las siguientes estructuras con ejemplos: «¿Cómo te llamas?», «¿Cuántas letras?».

Los niños y niñas se levantan y preguntan a dos compañeros o compañeras cómo se llaman. Cada niño o niña responde deletreando su nombre. Quien pregunta completa la tabla. Después, escribe el número de letras de cada nombre.

3. Escucha y canta.

Realice la mímica de escuchar y ponga el audio de la canción *El nombre de María.* Sus estudiantes escuchan la canción (pista 5). *El nombre de María que cinco letras tiene: la eme, la a, la ere y la a.*

Realice la mímica de cantar y ponga el audio de la canción *El nombre de María.* Los estudiantes cantan la canción.

4. Canta con tu nombre.

Realice la mímica de cantar y pida a sus estudiantes que creen una canción similar con su nombre.

5. Adivina, adivinanza.

Juegue con sus estudiantes a que adivinen el nombre de algunos compañeros y compañeras de la clase. Diga «Su nombre tiene X letras», «Es un niño/una niña», «Su nombre empieza por la letra X». Si sus estudiantes no lo adivinan, puede deletrearlo entero.

Las actividades de las paginas 12 y 13 del **Cuaderno de actividades** son un repaso de todos los contenidos de la Unidad 1, para que pueda utilizarlas en el momento que usted, profesor o profesora, considere más apropiado. Se pueden utilizar al final de la unidad o intercalados durante las lecciones.

C. ACTIVIDAD DE CIERRE

Tome a Tinta y simule que canta *El nombre de Tinta que cinco letras tiene: la te, la i, la ene, la té y la a.* Invite a que los niños canten de nuevo la canción con usted. «¡Muy bien! ¡Muy bien! (moviendo a Tinta). Tinta está muy contento. La clase de español ha terminado. Adiós, adiós. Nos vemos el…. (día de la semana que volverán a tener clase de español)».

D. RECURSOS DIGITALES

Actividad 1: Relaciona cada animal con su letra inicial.

Unidad 2

Esta es mi mochila

OBJETIVOS:

- Reconocer y reproducir los colores: *rojo, verde, blanco, amarillo, azul* y *negro*.
- Reconocer y reproducir las palabras: *la mochila, el lápiz, la goma, los rotuladores, las tijeras, el sacapuntas, el cuaderno, el libro* y *el pegamento*.
- Iniciar la concienciación gramatical sobre el género y el número.
- Repaso de los números 1 al 10.
- Expresar la posesión y la edad: *Tengo…, Tienes…*
- Reconocer México y la celebración del cumpleaños.
- El guacamole.
- Valores: ir preparado a la escuela.

LECCIÓN 1

La ilustración que abre la unidad presenta un rincón del aula donde Valentina y Mateo muestran los objetos que cada uno lleva en la mochila. Le recomendamos que empiece la unidad no solo con esta ilustración, sino que recurra a ella a lo largo de las siguientes sesiones de clase para recordar el léxico presentado.

A. ACTIVIDADES INICIALES

Comience la clase con una conversación, como le hemos mostrado al inicio de esta guía y también en la explotación de la Unidad 1, preguntando a sus estudiantes cómo están, qué día de la semana es, e intente que sus estudiantes interactúen y le pregunten a Tinta y a usted cómo están.

B. ACTIVIDADES DEL LIBRO DEL ALUMNO

1. Observa y señala el color.

En los recursos digitales, encontrará la ilustración con la que se abre la Unidad 2 completa. Si dispone de medios, proyec-

te la ilustración. Si no, imprímala a color lo más grande posible y muéstresela a la clase. Es importante que en estos primeros pasos sus estudiantes estén centrados en el mismo punto. Escriba en la pizarra los colores: *rojo-roja, blanco-blanca, amarillo-amarilla, negro-negra, azul* y *verde*, y repítalos varias veces señalando algún objeto del aula que sea de ese color. Elija objetos de género masculino y objetos de género femenino para que sus estudiantes vayan prestando atención a la concordancia gramatical. De momento, trabaje solo el género, más adelante se prestará atención al número.

Para centrar la atención de toda la clase, siga trabajando con la ilustración proyectada o reproducida. Indíqueles que miren la ilustración y pregúnteles «¿Qué es de color rojo?». Sus estudiantes señalarán el lápiz, el libro. «¿Qué es de color verde?». Sus estudiantes señalarán el póster, la pared… y así sucesivamente con todos los colores. En este momento, el objetivo es que aprendan los colores de forma aislada y sepan reconocerlos, especialmente de forma oral.

Si le es posible, en nuestra página web encontrará una divertida canción *¿Qué es?* (pista 7 de *Submarino*). Le recomendamos que utilice esta canción, ya que en ella se presentan los colores y algunos materiales de clase.

2. Mira y repite.

Seguimos trabajando con la ilustración y con los libros cerrados. Vaya diciendo y señalando el léxico de la unidad en la ilustración: *Mateo, Valentina, la mochila (de Mateo), la mochila (de Valentina), el lápiz, la goma, el sacapuntas, las tijeras, el cuaderno, el libro* y *el pegamento*.

Haga la mímica de «mira», enséñeles las nueve tarjetas (*flashcards*) de la Unidad 2 y repita «mira» mientras hace el gesto correspondiente. A continuación, muestre o proyecte la tarjeta de *la mochila* y diga «la mochila» o use el audio de la *flashcard* digital, haga el gesto de *repite* para que sus estudiantes repitan «la mochila». Proceda de la misma forma con el resto de las ocho tarjetas: *el lápiz, la goma, las tijeras, los rotuladores, el sacapuntas, el cuaderno, el libro* y *el pegamento*.

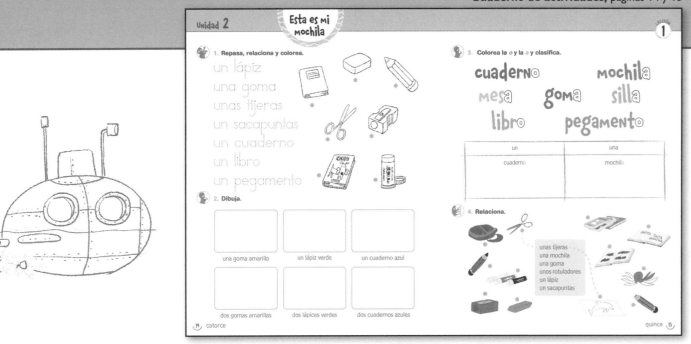

Vuelva a proyectar o mostrar las tarjetas en un orden diferente para que sus estudiantes vayan diciendo cómo se llama cada objeto. Cuando considere que sus estudiantes ya están familiarizados con los nueve nombres, cierre la proyección de la imagen o quite el póster.

Ahora, escucha y pega.

Ha llegado el momento de que sus estudiantes trabajen ya con sus libros. A continuación, pídales que abran los libros, mientras modela la acción de abrir el libro, y muéstreles la página en la que tienen que estar para que la reconozcan visualmente. Diga «Abran/Abrid el libro por la página 14» y escriba el número 14 en la pizarra. Diga «escucha» mientras hace el gesto de escuchar. A continuación, diga «pega» mientras hace el gesto de pegar. Haga que toda la clase imite su gesto. Ponga el audio (pista 6) y pídales que peguen las pegatinas en el lugar correspondiente. Recuérdeles que no pueden despegar la pegatina hasta que escuchen la palabra y que, cuando la peguen, tienen que decir «Aquí, aquí».

Una vez que haya comprobado que todos sus estudiantes han pegado las pegatinas de forma correcta, señale uno de los objetos y pregunte «¿Qué es?». Es probable que, en este momento, sus estudiantes solo digan «mochila», «libro»,… Después, pregunte «¿De qué color es?». Sus estudiantes dirán «azul». Le recomendamos que les diga «Muy bien, es una mochila azul», «Muy bien, es un libro rojo», haciendo énfasis en el artículo indeterminado y en el color para ir exponiéndolos a un *input* más rico y contextualizado. Repita la misma secuencia con el resto de los objetos.

> Refuerce estos contenidos con las actividades 1 y 2 de la página 14 del **Cuaderno de actividades** diseñadas para trabajar la lectoescritura e ir despertando la concienciación gramatical sobre el género y el número. En la actividad 1, además, los niños y niñas colorean (y luego explican) los objetos del color que quieran.

3. Responde a tu profesor o profesora y señala.

Ahora que sus estudiantes ya están familiarizados con las palabras presentadas, es el momento de introducir un juego que le permita saber si son capaces de reconocer el léxico aprendido dentro de un contexto real. Pregúnteles dónde hay un objeto determinado del aula y haga que sus estudiantes se levanten, vayan hacia él, señalen dónde está situado y digan «Aquí, aquí».

Profesor o profesora: «¿Dónde hay un libro?»

Niños y niñas: «Aquí, aquí».

> Refuerce estos contenidos con las actividades 3 y 4 de la página 15 del **Cuaderno de actividades** diseñadas para trabajar y reforzar la concienciación gramatical sobre el género. En la actividad 4, además, sus estudiantes relacionarán las imágenes con su palabra y con su uso.

C. ACTIVIDAD DE CIERRE

Tome a Tinta y simule que dice: «Me gustan los colores: blanco, amarillo, rojo, verde, azul y negro. ¿Cuál es tu color favorito? Muy bien, niños y niñas. La clase de español ha terminado. Adiós, adiós. Nos vemos el… (día de la semana que volverán a tener clase de español)».

D. RECURSOS DIGITALES

Actividad 1: Salvar la margarita (*mochila, lápiz, goma, sacapuntas, tijeras, cuaderno, libro, pegamento*).

Actividad 2: Relacionar audio con una imagen (*la mochila, el lápiz, la goma, el sacapuntas, las tijeras, el cuaderno, el libro, el pegamento*).

Actividad 3: Canción *¿Qué es?* (pista 7 de *Submarino*).

LECCIÓN 2

A. ACTIVIDADES INICIALES

Comience la clase con una conversación preguntando a sus estudiantes cómo están, qué día de la semana es, quién es el pulpo, qué tiene en la mano, qué objetos ven en la clase e intente que interactúen y pregunten a Tinta o a usted cómo están.

Recuerde que en *Submarino 1* la Lección 2 siempre está destinada a ampliar las posibilidades de práctica con respecto a lo aprendido en la lección anterior. Es decir, se trata de un repaso y un refuerzo de los contenidos. Pero siempre se da un paso más, se amplía y progresa. En esta unidad, la Lección 2 está destinada a que practiquen los números y el verbo *tener* con valor de posesión, pero ampliamos los usos y vamos a un contenido nuevo, aunque relacionado con el verbo *tener* y los números: decir la edad. Para los niños y niñas es una nueva oportunidad de hablar de sí mismos y de sí mismas y de enriquecer su capacidad de expresión en español. En la enseñanza general y, sobre todo, en la enseñanza de idiomas en particular, se propone actualmente un aprendizaje en espiral o concéntrico: se vuelven siempre a los contenidos y habilidades lingüísticas que ya han adquirido sus estudiantes y, a partir de ellas, se amplían con nuevos contenidos o con el uso de la lengua en nuevos contextos para ir así progresando en su nivel de lengua y desarrollando sus habilidades lingüísticas.

B. ACTIVIDADES DEL LIBRO DEL ALUMNO

1. Escucha la canción y canta.

Pídales que abran el libro, mientras modela la acción de abrir el libro y muéstreles la página en la que tienen que estar para que la reconozcan visualmente. Diga: «Abran/Abrid el libro por la página 16» y escribe el número 16 en la pizarra. Muestre la tarjeta de *escucha* y diga «*escucha*» mientras pone la palma de una mano detrás de la oreja. Intente que sus estu-

diantes imiten su gesto. Ponga el audio (pista 7) de la canción *Tengo una mochila* mientras sus estudiantes siguen la letra de la canción impresa en el libro.

A continuación, diga «canta» mientras hace la mímica de *cantar*, intentando que lo repitan. Cante la canción con sus estudiantes dos veces.

Siempre puede trabajar con las canciones de varias maneras, dinamizando así las clases y sorprendiendo a sus estudiantes. Le sugerimos varias actividades, que puede intercambiar, realizar solo una o combinarlas con otras:

- Trabaje con los libros cerrados y con las tarjetas (*flashcards*) del vocabulario de la unidad, en este caso con los materiales de clase. Forme parejas o grupos y, a cada uno, repártales un juego de tarjetas. Ponga la canción y sus estudiantes tienen que poner las tarjetas en el orden en que escuchan los objetos en la letra.
- Una vez escuchada por primera vez, pida que abran los libros, para que los niños y niñas puedan leer el texto al mismo tiempo que escuchan otra vez la canción.
- Para ir a un conocimiento mayor del texto, pida voluntarios o voluntarias que lean el texto en voz alta.

2. Escribe.

Cuente del 1 al 10 mostrándolo con los dedos, haga que sus estudiantes lo repitan; después cuente sus pies, sus manos, sus ojos… y que sus estudiantes hagan lo mismo. A continuación, diga «escribe» y haga el gesto apropiado. Pida a sus estudiantes que hagan la actividad 2 contando los brazos de Mateo y Tinta. Cuando terminen, pregunte a varios estudiantes: «¿Cuántos brazos tienes?». Sus estudiantes responderán: «Tengo dos brazos».

3. Escucha, dibuja y colorea.

Los niños y niñas van a escuchar un audio y deben dibujar en cada brazo (tentáculo) de Tinta los objetos que tiene. Ponga

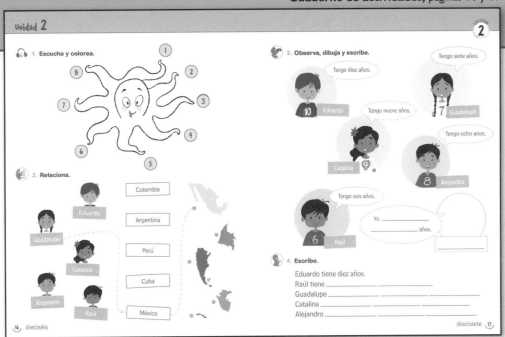

la pista de audio **8** dos veces. La primera, para que reconozcan el contenido. La segunda, vaya parando de brazo en brazo y pídales que digan qué objetos son y cuántos tiene Tinta en cada brazo. Finalmente, deles tiempo para hacer los dibujos. Pida que ocho voluntarios y voluntarias presenten cada uno su dibujo y describa solo uno de los brazos de Tinta.

Refuerce estos contenidos con la actividad 1 de la página 16 del **Cuaderno de actividades** diseñada para trabajar y reforzar los colores.

4. Completa y practica con tu compañero.

Para dar un paso más, vamos a trabajar con la edad y la expresión *Tener x años*. Si le es posible, proyecte la imagen y lea en voz alta el contenido de los bocadillos de texto. Señale, al mismo tiempo que lee, los números que hay en la camiseta de Valentina y en la de Mateo, así como el número que tiene Tinta. Haga que sus estudiantes repitan. Y después pídales que respondan a la pregunta. Aunque coincidirán en la edad, no importa, que cada niño y niña diga su edad.

Refuerce estos contenidos con las actividades 2, 3 y 4 de las páginas 16 y 17 del **Cuaderno de actividades** para trabajar y consolidar la edad. En realidad es una secuencia de tres actividades cuyo contenido es el mismo: progresiva y pautadamente van a decir la edad de los personajes de la sección **Explora**. Estos llevan escrito en su camiseta un número que indica su edad.

C. ACTIVIDAD DE CIERRE

Para terminar la clase, tome a Tinta y, moviendo uno de sus brazos, pregunte a los niños y niñas «¿Qué tiene Tinta en el brazo 1?», «Tiene un lápiz azul». Y así sucesivamente. Simule que Tinta dice: «Muy bien, niños y niñas. La clase de español ha terminado. Adiós, adiós. Nos vemos el… (día de la semana que volverán a tener clase de español)».

D. RECURSOS DIGITALES

Actividad 1: Juego de *memory* de seis materiales del aula con audio e imagen.

Actividad 2: Relaciona objetos y colores.

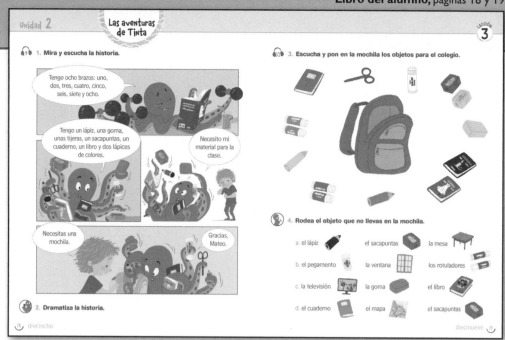

LECCIÓN 3: Las aventuras de Tinta

A partir de esta Unidad 2, dado que sus estudiantes ya se habrán familiarizado con la estructura del libro y con la sección de Las aventuras de Tinta, le ofrecemos diferentes modalidades para trabajar con el cómic. Aunque le vamos a sugerir tres posibilidades extra, organizadas de menor a mayor exigencia, puede utilizar una u otra en las unidades que quiera, dinamizando así la clase y adaptándolas a su grupo. El cómic en el libro siempre va acompañado de los textos escritos en los bocadillos. Dispone de una versión digital en la que, al pulsar en cada viñeta, se locuta el texto. Pero, además, le ofrecemos distintas versiones y distintas posibilidades de trabajo:

– La primera opción que le sugerimos, además de la propuesta que le presentaremos en cada unidad, es que mantenga los libros cerrados. Fotocopie el cómic y corte las viñetas para que sus estudiantes las ordenen. En parejas o en pequeños grupos, observan las viñetas y leen los bocadillos y las ponen en orden. A continuación, cuando ponga el audio por primera vez, comprobarán si el orden en el que han puesto las viñetas es el correcto.

– La segunda opción es trabajar con las viñetas del cómic sin el texto en los bocadillos. Trabaje con los libros abiertos o con la proyección digital del cómic. Una vez que hayan observado, leído y escuchado el cómic, pídales que cierren los libros y, entonces, deles por separado los textos, para que los coloquen en el bocadillo de texto adecuado.

– Una tercera opción es, una vez trabajado el cómic normalmente y cuando hayan realizado la actividad de dramatización, como ya lo conocen bien, pedirles que cierren los libros y completen los bocadillos como ellos y ellas quieran.

A. ACTIVIDADES INICIALES

Comience la clase con una conversación preguntando a sus estudiantes cómo están, qué día de la semana es, qué tienen encima de la mesa, en la mochila… Proyecte la ilustración de la página 14 y pregúnteles qué tiene Mateo y qué tiene Valentina.

B. ACTIVIDADES DEL LIBRO DEL ALUMNO

1. Mira y escucha la historia.

Diga a los niños y niñas que abran el libro, mientras modela la acción de abrir el libro, y muéstreles la página en la que tienen que estar para que la reconozcan visualmente mientras dice y escribe en la pizarra el número 18. Proyecte el icono o muestre la tarjeta de *escucha* y pida a sus estudiantes que repitan «escucha» mientras hacen la mímica correspondiente. A continuación, indíqueles que tienen que mirar mientras hace el gesto pertinente, y haga que repitan la palabra «mira». Proyecte el cómic o haga que la clase mire el libro y ponga el audio (pista 9) de la historia. Póngalo varias veces deteniendo la grabación para que sus estudiantes lo repitan mientras miran el cómic.

La historia en viñetas, además de presentar de forma contextualizada parte del léxico de la unidad, ofrece un contenido importante para educar a sus estudiantes en valores. En este caso, se trata de que los niños y niñas tomen conciencia de ir bien equipados a clase y que tengan la mochila bien organizada. Si le parece oportuno, señáleselo y recomiéndeles que revisen todas las noches, antes de irse a dormir, sus mochilas para comprobar que llevan todos los materiales que necesitan al día siguiente en la escuela.

2. Dramatiza la historia.

A continuación, diga «dramatiza» y haga que la clase repita «dramatiza» mientras hace gestos exagerados con la cara. Los niños y niñas también tienen que hacer estos gestos con la cara. Agrupe a la clase en parejas y que cada estudiante elija un personaje, Tinta o Mateo. Tienen que leer dramatizando el cómic.

> Refuerce estos contenidos con la actividad 1 de la página 18 del **Cuaderno de actividades**, integrando el material de clase con los colores y con los números.

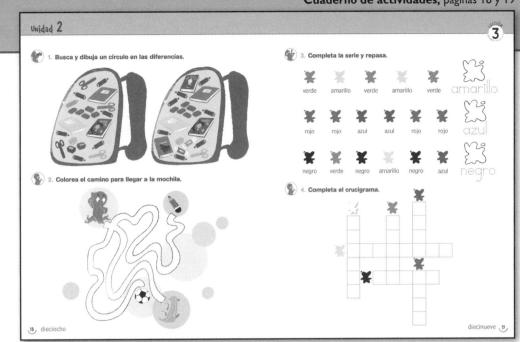

Unidad 2

3

1. Busca y dibuja un círculo en las diferencias.

2. Colorea el camino para llegar a la mochila.

3. Completa la serie y repasa.

verde · amarillo · verde · amarillo · verde · *amarillo*

rojo · rojo · azul · azul · rojo · rojo · *azul*

negro · verde · negro · amarillo · negro · azul · *negro*

4. Completa el crucigrama.

18 dieciocho

diecinueve 19

3. Escucha y pon en la mochila los objetos para el colegio.

Diga «escucha» mientras hace el gesto correspondiente. Ponga el audio de la actividad 3 (pista 10) y explique a sus estudiantes que tienen que llevar a la mochila los objetos que escuchen dibujando una flecha. No tienen que meter en la mochila todos los objetos que hay, sino que deben hacer una discriminación auditiva. Es decir, lo importante es que escuchen y sepan identificar qué objeto se menciona y de qué color es.

4. Rodea el objeto que no llevas en la mochila.

Explique a sus estudiantes que tienen que señalar el objeto que no se lleva en la mochila. Deje que hagan esta actividad de forma individual y, a continuación, póngalo en común con toda la clase. Es un refuerzo del léxico conocido y un aprendizaje de tres palabras nuevas.

Refuerce los contenidos de estas tres lecciones con las actividades 2, 3 y 4 de las páginas 18 y 19 del **Cuaderno de actividades**, dirigidas principalmente a los colores.

C. ACTIVIDAD DE CIERRE

Tome a Tinta y simule que dice: «Antes de venir a clase, preparo mi mochila. En ella llevo el libro, el cuaderno, los lápices de colores, el sacapuntas... ¿Y tú, qué llevas en tu mochila? Muy bien, niños y niñas. La clase de español ha terminado. Adiós, adiós. Nos vemos el... (día de la semana que volverán a tener clase de español)».

D. RECURSOS DIGITALES

Actividad 1: Cómic digital.

Actividad 2: Relaciona las sílabas para formar palabras.

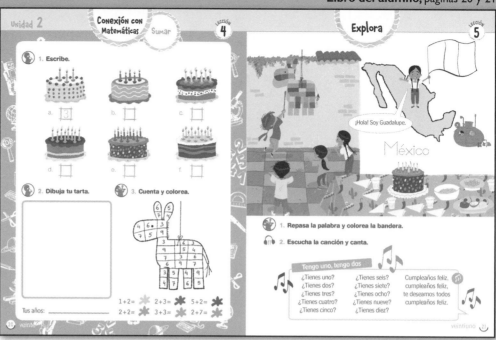

LECCIÓN 4: Conexión con... Matemáticas

A. ACTIVIDADES INICIALES

En esta breve lección de Conexión con… van a trabajar los números y, sobre todo, las sumas. Inicie la clase con una breve conversación preguntado a sus estudiantes cómo están y qué día de la semana es. Proyecte la página 20 del libro y señale una de las tartas/tortas mientras dice «es una tarta de cumpleaños». Pídales que repitan la expresión. Simule que pregunta a Tinta: «¿Cuántos años tienes?». Tinta dirá: «Tengo ocho años». Formule a sus estudiantes la misma pregunta.

B. ACTIVIDADES DEL LIBRO DEL ALUMNO

1. Escribe.

Realice el gesto de *escribir* y pida a sus estudiantes que escriban el número correspondiente a las velas que haya en cada tarta. Después, pregunte: «¿Cuántas velas hay en la tarta (mientras señala una de ellas)?» y así sucesivamente. Sus estudiantes dirán solo el número, pero usted diga «Hay tres velas» con el objetivo de que sus estudiantes estén siempre expuestos a un *input* rico y contextualizado, que entenderán por la situación, aunque sus destrezas productivas todavía sean limitadas. Una alternativa que quizá le resulte útil es proyectar las seis tartas. Señale la primera y pídales que digan cuántas velas hay y, cuando den la respuesta, vaya señalando de una en una las velas y cuéntelas. Luego, diga la cantidad: «Una, dos y tres velas. Sí, hay tres velas. Muy bien». Así los anima a contar a ellos y ellas también.

2. Dibuja tu tarta.

Haga la mímica de dibujar e indique a sus estudiantes que ahora van a dibujar su propia tarta de cumpleaños con el número de velas correspondiente. Debajo escribirán el número con letras. Luego, lo presentan al resto de la clase. Muestran su tarta y dicen «Yo tengo… años».

3. Cuenta y colorea.

Explíqueles qué es una piñata, haga el gesto de colorear y cuente con los dedos para que sepan que tienen que colorear según el resultado de la suma.

Refuerce estos contenidos con las actividades 1 y 2 de la página 20 del **Cuaderno de actividades** en las que continúan afianzando el aprendizaje de los números del 1 al 10 y de sumar.

C. RECURSOS DIGITALES

Actividad 1: Crucigrama interactivo de los números.

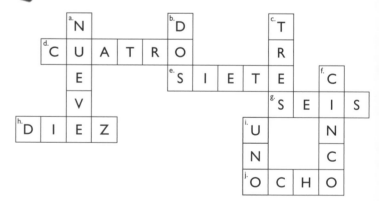

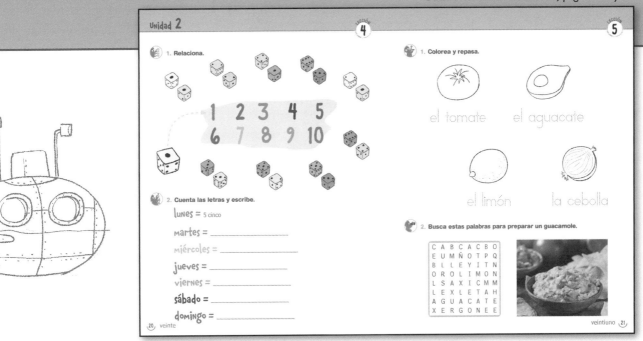

LECCIÓN 5: Explora México

Para continuar con la clase y situarles, es muy conveniente que proyecte la página 21 del libro y explique a sus estudiantes que Mateo, Valentina y Tinta están viajando en el submarino a México para ir al cumpleaños de Guadalupe. Explote didácticamente la ilustración. Si tiene un mapamundi en el aula, pídales que sitúen México. Si no, pueden volver a la página 11 para hacerlo. Explíqueles que Guadalupe y sus amigos van a jugar con una piñata muy parecida a la que han pintado en la página anterior que está llena de golosinas. También van a comer guacamole y, después, a apagar las velas. Vaya señalando en la ilustración las palabras importantes: *piñata*, *guacamole*, *niños*, *niñas*, *comida*, *tarta/torta*.

D. ACTIVIDADES DEL LIBRO DEL ALUMNO

1. Repasa la palabra y colorea la bandera.

Haga la mímica de escribir y pida a sus estudiantes que repasen las letras de la palabra *México*, después pregunte a un niño o a una niña cómo se deletrea.

A continuación, pregúnteles si saben de qué color es la bandera de México. Si algún estudiante lo sabe, irá indicando a los demás los colores que tienen que utilizar. Si no lo saben, realice una especie de juego para colorearla. Deje que le pregunten a usted. «¿Es roja?» «¿Es verde?»... hasta que adivinen que el primer color es el verde, el segundo es el blanco y el tercero, el rojo.

Señale en la mesa con la comida el plato de guacamole y explíqueles que es una comida que se prepara con aguacate y que es típica de México. Pregunte si alguien lo ha comido o sabe qué ingredientes tiene: *tomate*, *aguacate*, *limón* y *cebolla*. En la página 21 del *Cuaderno de actividades* tiene una foto. También le recomendamos, si le es posible, preparar con sus estudiantes un guacamole en clase, para ello deberá llevar a clase los cuatro ingredientes, cuchillos de punta redonda y unos tenedores.

Haga las actividades 1 y 2 de la página 21 del **Cuaderno de actividades** en las que sus estudiantes descubren los ingredientes del guacamole. Para ello, como primer paso, colorean y dicen los colores de los cuatro ingredientes, repasan el nombre de cada uno y buscan (reconocen gráficamente) las palabras en la sopa de letras. Les ayudará la foto del guacamole de la actividad 2.

2. Escucha la canción y canta.

Realice la mímica de cantar y haga que sus estudiantes le imiten antes de poner el audio (pista 11) de la canción. Ponga la canción una primera vez mientras sus estudiantes siguen la letra de la canción en el libro. Ponga una segunda vez la canción para que la canten juntos.

E. ACTIVIDAD DE CIERRE

Entregue a cada estudiante una tarjeta con un número diferente que será la edad ficticia de cada uno. Ponga de nuevo la canción y, esta vez, todos los niños y niñas cantarán, pero además se tendrán que levantar cuando digan su edad. Como todos se han levantado en algún momento porque se han dicho todos los números hasta el diez, simule que Tinta dice «Feliz cumpleaños a todos. La clase de español ha terminado. Adiós, adiós. Nos vemos el... (día de la semana que volverán a tener clase de español)».

F. RECURSOS DIGITALES

Actividad 1: Arrastra los ingredientes del guacamole.

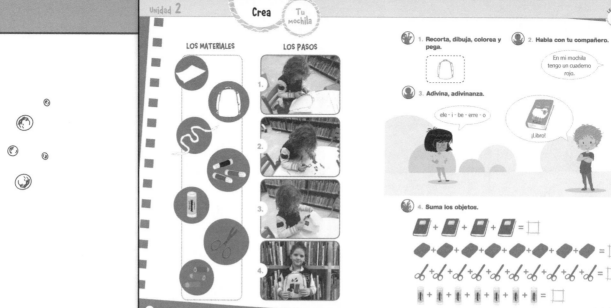

LECCIÓN 6: Crea tu mochila

A. ACTIVIDADES INICIALES

Comience la clase con una breve conversación preguntando a sus estudiantes cómo están y qué día de la semana es. Pregunte a varios niños y niñas si tienen su mochila y qué llevan dentro. Muestre entusiasmo por los objetos que traen en sus mochilas y dígales que van a crear la mochila perfecta con todos los objetos de la clase que quieran.

B. ACTIVIDADES DEL LIBRO DEL ALUMNO

Enséñeles la plantilla de la mochila (la tiene al final de esta guía, en la página 76, para que la fotocopie y reparta entre sus estudiantes) y muestre los materiales para que los niños y niñas vayan diciendo los nombres.

Materiales

Cartulina: al final de este libro, en la página 76, encontrará la plantilla de la mochila. Fotocopie en ella la plantilla.

Plantilla de la mochila: la encontrará al final de esta guía, en la página 76. Haga una fotocopia para cada niño o niña.

Cordel: para que, cuando la hayan decorado y recortado, aten la mochila y se la pongan a la espalda.

Rotuladores de colores: para que los niños y niñas dibujen a su gusto los materiales de clase.

Papel: para dibujar, colorear y recortar los objetos de la clase.

Tijeras: para recortar la mochila y los objetos.

Pegamento: para pegar los dibujos de los objetos en la mochila.

Lápices de colores: para colorear la mochila a su gusto.

1. Recorta, dibuja, colorea y pega.

Proyecte la página 21 del libro e indique a sus estudiantes que sigan los cuatro pasos de las fotografías para crear su mochila perfecta con los objetos de la clase. Es posible que algunos estudiantes quieran añadir algún otro objeto y que necesite decirle cómo se llama para las actividades posteriores.

2. Habla con tu compañero.

Asigne a cada estudiante una pareja para que digan lo que cada uno tiene en su mochila especificando la cantidad y el color. Practique con quienes terminen la mochila primero para poder ofrecer un modelo al resto de la clase y que sepan qué se espera que produzcan. Si tiene tiempo, puede agrupar a sus estudiantes con una pareja nueva para que repitan la actividad.

3. Adivina, adivinanza.

Esta actividad la puede realizar en grupos o de forma coral con toda la clase. Un niño o una niña deletrea un objeto del aula y quien primero levante la mano dice qué objeto es. Quien adivina la palabra es el niño o la niña que deletrea la siguiente.

4. Suma los objetos.

Pregunte a la clase: «¿Cuántos cuadernos hay?». Sus estudiantes dirán «cuatro» y escribirán el número 4 en la cajita.

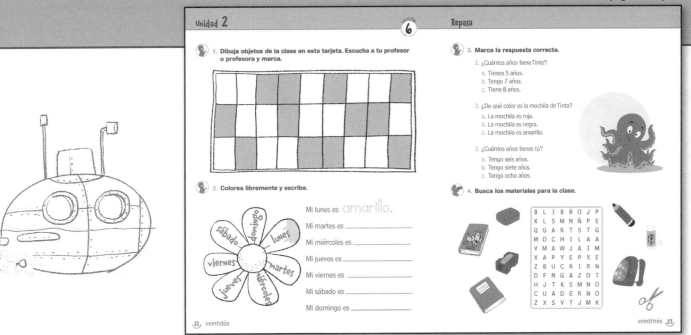

Proceda de la misma forma con la goma, las tijeras y el pegamento.

C. ACTIVIDAD DE CIERRE

Simule que Tinta dice a sus estudiantes «Es importante traer una mochila a la escuela» y pídales que antes de marcharse pongan la mochila que han creado en el tablón o corcho de la clase, para que toda la clase pueda verlas y recuerden que tienen que venir preparados a la escuela.

Simule de nuevo que Tinta dice a sus estudiantes «Muy bien, niños y niñas. La clase de español ha terminado. Adiós, adiós. Nos vemos el… (día de la semana que volverán a tener clase de español)».

Las actividades de las paginas 22 y 23 del **Cuaderno de actividades** son un repaso de toda la Unidad 2 para utilizarlas en el momento que usted, profesor o profesora considere más apropiado. Puede hecerlo al final de la unidad o intercaladas durante las lecciones.

D. RECURSOS DIGITALES

Actividad 1: Arrastra las letras y forma palabras.

Actividad 2: Juego de *memory* de ocho objetos (*mochila, lápiz, goma, sacapuntas, tijeras, cuaderno, libro, pegamento*).

Unidad 3

¿Qué ropa llevas?

OBJETIVOS:

- Reconocer y reproducir los colores: *marrón, rosa, gris, morado* y *naranja*.
- Repaso de los colores trabajados en la unidad anterior.
- Reconocer y reproducir las palabras: *el abrigo, el bañador, la camiseta, el gorro, el vestido, los zapatos, la falda, los pantalones* y *la chaqueta*.
- Reconocer y reproducir: *llueve, hace calor* y *hace frío*.
- Reconocer y reproducir los nombres de las estaciones: *el otoño, el invierno, la primavera* y *el verano*.
- Reconocer Argentina y conocer a los gauchos.
- Uso de las estructuras: *llevo, me gusta* y *¿Qué tiempo hace? Hace…*
- Valores: el trabajo en equipo.

LECCIÓN 1

La ilustración que abre la unidad presenta a Valentina, Mateo y Pablo haciendo teatro. Tinta sostiene tres símbolos de tiempo meteorológico y cada niño va supuestamente con diferentes prendas de ropa, acordes al tiempo que hace. Quizá podrá aprovechar la situación para, al final de la unidad, hacer el mismo teatro con sus estudiantes. Además, como en las dos unidades anteriores, le recomendamos volver a la imagen de entrada a la unidad, pues es un recurso visual para dar coherencia a las actividades planteadas.

A. ACTIVIDADES INICIALES

Comience la clase preguntando a sus estudiantes cómo están y qué día de la semana es, e intente que sus estudiantes les pregunten a Tinta y a usted cómo están.

B. ACTIVIDADES DEL LIBRO DEL ALUMNO

Observará que en cada unidad vamos avanzando en lo que tienen que hacer sus estudiantes con respecto a las instrucciones,

progresivamente van a ir siendo más autónomos. En esta unidad, le vamos a recomendar que ya no sea usted, profesor o profesora, quien diga el verbo (la instrucción), sino que con la tarjeta (*flashcard*) y con su gesto, sean los niños y niñas quienes lo interpreten y digan en voz alta la acción que deben realizar. Por supuesto, si por el motivo que fuera (nivel de sus estudiantes, interés en estabilizar las rutinas de aprendizaje…), usted prefiere mantener las dinámicas anteriores, nada le impide hacerlo según crea más conveniente.

1. Mira y señala el color.

Introduzca los nuevos colores (*marrón, rosa, gris, morado* y *naranja*) de uno en uno con las tarjetas (*flashcards*) y pida a sus estudiantes que repitan, después de usted, el nombre de cada uno de ellos. A continuación, elija un voluntario o una voluntaria para encontrar un objeto en la clase del color que indique. Diga «Veo, veo una cosita de color rosa» y el voluntario o la voluntaria tiene que buscar y señalar un objeto de ese color. Cuando los niños y niñas ya estén familiarizados con el nuevo vocabulario, pídales que abran el libro, mientras modela la acción de abrirlo, escriba en la pizarra el número 25 y muéstreles la página en la que tienen que estar para que la reconozcan visualmente. Proyecte el icono de *mira* o preséntelo en una de las tarjetas (*flashcards*) que tiene al final de esta guía, haga el gesto e intente que digan «mira», sin decirlo usted, y sitúen un dedo delante del ojo, moviéndolo hacia delante y hacia atrás varias veces. Como le decíamos, pretendemos que, poco a poco, vayan siendo ellos y ellas más partícipes y activos en las consignas.

Seguidamente, lea los colores que aparecen escritos y pídales que los señalen, a medida que los vaya nombrando. Vuelva a leerlos, pero esta vez de forma desordenada.

> Refuerce tanto la lectoescritura como el significado de los nombres de los colores (los nuevos y los vistos en la unidad anterior) con las actividades 3 y 4 de la página 25 del **Cuaderno de actividades**.

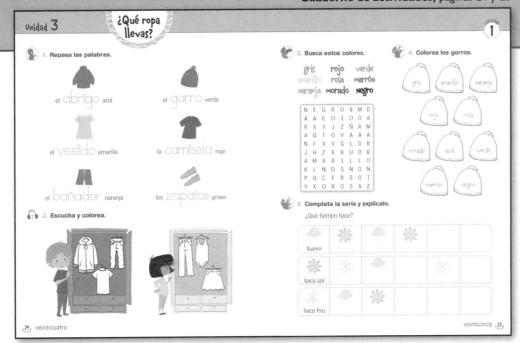

2. Mira y repite.

Pídales que cierren los libros y proyecte el icono de *mira* o preséntelo en una de las tarjetas y actúe como le hemos indicado antes, intentando que sean sus estudiantes quienes digan el verbo y realicen con usted el gesto. A continuación, proyecte el icono de *repite* o muestre la tarjeta y proceda de la misma manera. Proyecte o imprima las tarjetas (*flashcards*) de la ropa y haga que los niños y niñas repitan las palabras (puede pronunciarlas usted o utilizar la opción de audio incorporada a las tarjetas interactivas): *el abrigo, el bañador, la camiseta, el gorro, el vestido, los zapatos, la falda, los pantalones y la chaqueta.* A continuación, proyecte la imagen de entrada de la unidad, si dispone de medios, o imprímala a color y preséntela: pídales que miren las ilustraciones de la ropa y pregúnteles «¿De qué color es el vestido?» para que a coro o voluntariamente de uno en uno digan el color.

> Refuerce los nombres de las prendas, tanto de forma auditiva como escrita, con las actividades 1 y 2 de la página 24 del **Cuaderno de actividades**.

Ahora, escucha y pega.

Muestre la tarjeta o proyecte el icono de *escucha*, para que den ellos y ellas la instrucción y realicen con usted el gesto que ya conocen. A continuación, proyecte el icono de *pega* y proceda de la misma manera. Puede reforzar el aprendizaje de las instrucciones, diciendo a continuación los dos verbos de forma desordenada y cada vez un poco más rápido, para que sus estudiantes hagan los gestos correspondientes. Proyecte la ilustración del inicio de unidad y vaya señalando el léxico: *hace frío, hace sol, llueve, el abrigo, la camiseta, el bañador, el vestido* para que sus estudiantes repitan las palabras.

Cuando considere que sus estudiantes ya están familiarizados con el léxico, pídales que abran sus libros, quite la proyección de la imagen, ponga el audio (pista 12) e indique a los niños y niñas que peguen las pegatinas en el lugar correspondiente y digan «Aquí, aquí».

Una vez realizado, señale una de las prendas de ropa y pregunte «¿Qué es?». Es probable que digan solo «abrigo» y este es el momento en el que usted dice «Muy bien, es el abrigo», haciendo especial énfasis en el artículo. Repita la misma secuencia con el resto de las prendas de ropa hasta que sus estudiantes puedan decir: «Es el vestido…». Después, pregunte «¿De qué color es (una prenda de ropa)?», modele la respuesta de sus estudiantes poniendo énfasis en la concordancia de género «la chaqueta es morada». A continuación, señale cada uno de los fenómenos meteorológicos y pregunte «¿Qué tiempo hace?».

3. Lee, señala y responde.

Lea el diálogo. Pídales que contesten a la pregunta y describan la ropa que llevan puesta. Es probable que sus estudiantes digan solo «*camiseta rojo, pantalones azul*», y este es el momento en el que usted dirá «Muy bien, llevo una camiseta roja, unos pantalones azules», haciendo hincapié en la concordancia de género y número. Si le paree oportuno, para fijarlo mejor, escriba en la pizarra correctamente las prendas y colores que le dicen sus estudiantes marcando de otro color o señalando las concordancias.

> Refuerce las expresiones del tiempo con la actividad 5 de la página 25 del **Cuaderno de actividades**.

C. ACTIVIDAD DE CIERRE

Tome a Tinta y simule que dice: «Muy bien, niños y niñas. Hoy hace (y el clima del día, *frío, calor*…) y la clase de español ha terminado. Adiós, adiós. Nos vemos el… (día de la semana que volverán a tener clase de español)».

D. RECURSOS DIGITALES

Actividad 1: Pulsa en la palabra que escuchas.

Actividad 2: Relaciona.

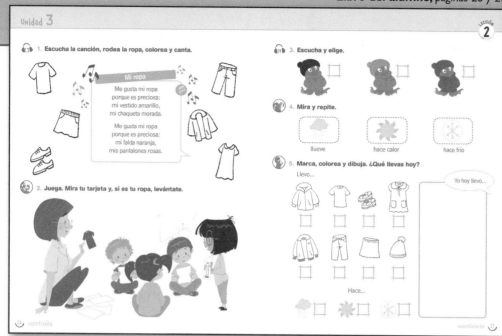

LECCIÓN 2

A. ACTIVIDADES INICIALES

Comience la clase preguntando a sus estudiantes cómo están, qué día de la semana es y qué tiempo hace. Diga «¿Qué tiempo hace?, ¿hace calor?, ¿hace frío?, ¿llueve?» y muestre la tarjeta (*flashcard*) correspondiente en cada ocasión.

B. ACTIVIDADES DEL LIBRO DEL ALUMNO

Pídales que abran el libro, mientras modela la acción de abrirlo, y escriba en la pizarra el número 26.

1. Escucha la canción, rodea la ropa, colorea y canta.

Muestre las tarjetas *escucha, colorea* y *canta* e invíteles a que den las instrucciones, mientras realizan con usted los gestos correspondientes. Como refuerzo, puede decir las tres instrucciones varias veces, sin enseñar ya las tarjetas, y en distintos órdenes, cada vez más rápido, para que sus estudiantes, como en un juego, realicen los gestos. Ponga el audio de la canción *Mi ropa* (pista 13) y pida a sus estudiantes que rodeen las prendas de ropa que aparecen en la canción y las coloreen según indica la letra. A continuación, repitan la canción hasta que la puedan cantar sin ayuda.

2. Juega. Mira tu tarjeta y, si es tu ropa, levántate.

Reparta las tarjetas (*flashcards*) de las prendas sin colorear entre sus estudiantes. Tome usted entonces las tarjetas (*flashcards*) de la ropa de la lección anterior, están en color, y al azar tome una y diga qué prenda es y el color, por ejemplo, «La camiseta roja». El niño o la niña que tenga la imagen de una camiseta debe ponerse de pie y decirlo: «Yo tengo una camiseta». Si le parece oportuno, como complemento, puede repetir «Muy bien, muy bien. La camiseta roja» y que su estudiante coloree la prenda de la tarjeta del color correspondiente, en este caso, de rojo.

Otra opción, quizá complementaria, es repartir las tarjetas de las prendas sin color, poner la canción y pedirles que se ponga de pie y se vuelva a sentar el niño o la niña que escucha el nombre de la prenda que tiene en la tarjeta que están sosteniendo a medida que escuchen la canción.

3. Escucha y elige.

Muestre a sus estudiantes la página 27 para que la reconozcan visualmente y diga «página 27» mientras escribe el número 27 en la pizarra.

Proyecte el icono de *escucha* y actúe como le estamos recomendando en esta unidad. Pida a sus estudiantes que escuchen el audio (pista 14) y elijan la ilustración de Tinta donde lleva la ropa que se describe. Son tres imágenes muy parecidas, por lo que sus estudiantes deberán prestar mucha atención, pues se les pide una comprensión detallada. Si lo considera necesario, antes de poner la audición, puede pedirles que describan cómo va vestido Tinta en cada una de las ilustraciones, para dirigir y ayudarlos en la comprensión posterior. Si lo hace así, le recomendamos, si le es posible, que proyecte las tres ilustraciones, para captar la atención de todos sus estudiantes y centrar así la actividad. A continuación, como complemento, describa la ropa de uno o una de sus estudiantes de la clase y pida a los niños y niñas que adivinen de quién se trata.

> Refuerce estos contenidos con las actividades 1 y 2 de la página 26 del **Cuaderno de actividades**. En la actividad 1, para aprovecharse también lingüísticamente de la actividad y no atender solo al desarrollo de la psicomotricidad fina, pídales que, después de hacer las asociaciones, digan las prendas de cada uno, por ejemplo, «Mateo lleva una camiseta» o, incluso, dependiendo de su grupo, «Mateo lleva una camiseta roja».

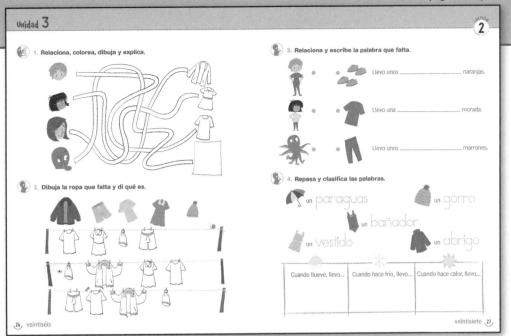

4. Mira y repite.

Proyecte el icono *repite*. Puede mostrar las tarjetas (*flashcards*) del tiempo o bien mostrar la página del libro y señalar las ilustraciones mientras dice «llueve», «hace calor», «hace frío». Pida a sus estudiantes que repitan las palabras y deles refuerzo positivo: «Muy bien, perfecto».

> Refuerce estos contenidos con las actividades 3 y 4 de la página 27 del **Cuaderno de actividades**.

5. Marca, colorea y dibuja. ¿Qué llevas hoy?

Como práctica y producción global, pida a sus estudiantes que marquen y coloreen la ropa que llevan hoy puesta y que también seleccionen el tiempo que hace. A continuación, pídales que, en el recuadro, se dibujen a sí mismos con la ropa que llevan y que la presenten al resto de la clase diciendo «Yo hoy llevo…».

C. ACTIVIDAD DE CIERRE

Tome a Tinta y simule que habla. A continuación, acérquese a un niño o a una niña diciendo: «¿Qué es?» mientras señala la prenda de ropa que lleva. Repita esta misma acción con diferentes estudiantes y prendas de ropa. Por último, simule que Tinta dice: «Muy bien, niños y niñas. Hoy hace (y el clima del día, frío, calor…) y la clase de español ha terminado. Adiós, adiós. Nos vemos el… (día de la semana que volverán a tener clase de español)».

D. RECURSOS DIGITALES

Actividad 1: Juego de *memory* con audio e imagen de la ropa.

Actividad 2: Relaciona los nombres de los colores (con audio) con la imagen.

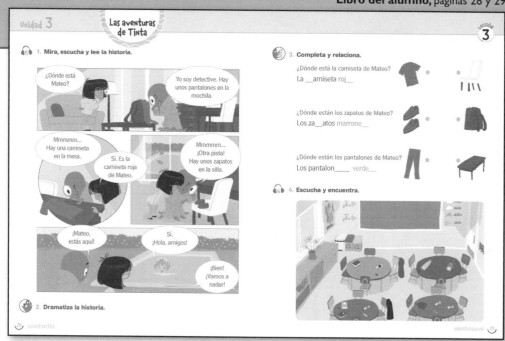

LECCIÓN 3: Las aventuras de Tinta

A. ACTIVIDADES INICIALES

Comience la clase preguntando a sus estudiantes cómo están, qué día de la semana es y qué tiempo hace. Simule que Tinta habla y dice: «Mi color preferido es el morado». A continuación, haga que Tinta pregunte a un estudiante «¿Cuál es tu color preferido?». Luego, simule que pregunta a otros niños y otras niñas. Es una manera interactiva de repasar los colores y de conocer mejor a sus estudiantes.

B. ACTIVIDADES DEL LIBRO DEL ALUMNO

1. Mira, escucha y lee la historia.

Pídales que abran el libro por la página 28. Si su grupo lo permite, quizá puede pedirles que describan, aunque sea muy toscamente, las cuatro viñetas, señalando usted los elementos principales, la ropa de Mateo. Proyecte el icono de *escucha* y haga que los niños y niñas digan la instrucción y realicen el gesto. A continuación, indíqueles que tienen que mirar señalándose un ojo y procure que repitan la palabra «mira». Proyecte el cómic o intente que la clase mire el libro y ponga el audio (pista 15) de la historia. Una vez escuchado por primera vez, pida a un voluntario o voluntaria (quizá a tres, uno por cada viñeta) que salga a la pizarra, donde estará proyectado el cómic, ponga otra vez el audio y, cuando lo oiga, que señale la prenda de la que se habla. Para ello, hágalo usted una primera vez. Ponga el audio varias veces deteniendo la grabación para que sus estudiantes lo repitan mientras miran el cómic.

Este cómic transmite la importancia del trabajo en equipo y de cómo, cuando se colabora, como en este caso hacen Valentina y Tinta, se potencian las fortalezas de cada uno de ellos y se consigue el objetivo: encontrar a Mateo. Si le parece oportuno, seguramente en la lengua de sus estudiantes, coméntelo con ellos y ellas.

2. Dramatiza la historia.

Proyecte el icono de *dramatiza* para que representen la instrucción. Pida a los niños y niñas que formen grupos de tres. Cada estudiante tiene que elegir un personaje para leer en voz alta y dramatizando el cómic con su grupo.

3. Completa y relaciona.

Pídales que abran el libro por la página 29, proyecte el icono de *relaciona* e intente que digan la instrucción y realicen con usted el gesto. Lea la primera frase «¿Dónde está la camiseta de Mateo?» mientras hace la mímica de buscarla y pregunte a los niños y niñas «¿Está en la silla? ¿Está en la mesa? ¿Está en la mochila?». A continuación, pida a sus estudiantes que completen las frases y las relacionen con las imágenes correspondientes.

> Refuerce estos contenidos con las actividades 1 y 2 de la página 28 del **Cuaderno de actividades**.

4. Escucha y encuentra.

Proyecte los iconos de *escucha* y *mira*, para que digan las dos instrucciones y hagan con usted los gestos. Antes de entrar en la audición, para prepararlos y contextualizar la actividad, le recomendamos que proyecte la ilustración y les haga preguntas del tipo «¿Cuántas mesas hay?» o «¿Dónde está la mesa verde?», etc. Ponga el audio (pista 16). En él van a escuchar que hablan de distintas prendas de ropa (*el abrigo rojo, el gorro marrón y la chaqueta negra*) y del *paraguas amarillo*. Póngalo varias veces, deteniendo la grabación para que sus estudiantes tengan tiempo de encontrar las prendas de ropa que se nombran. A continuación, siga haciendo preguntas a sus estudiantes sobre la ilustración, con el objetivo de repasar el vocabulario trabajado en las lecciones anteriores. Pregunte a los niños y niñas «¿Dónde está la mesa verde?» y pídales que la señalen y digan «Aquí, aquí». Asimismo, puede preguntar «¿Dónde está el cuaderno amarillo?» o «¿Dónde está el lápiz de color rosa?».

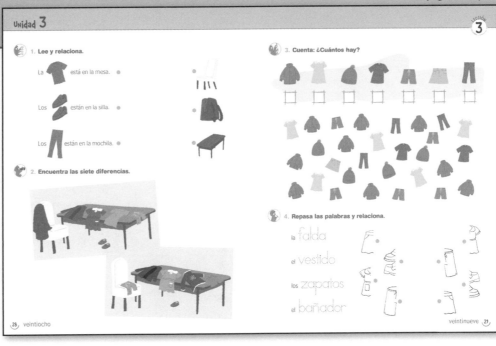

Refuerce estos contenidos con las actividades 3 y 4 de la página 29 del **Cuaderno de actividades**.

Como complemento, si le parece oportuno, puede hacer el mismo juego con sus estudiantes en su clase. Un voluntario o una voluntaria sale fuera del aula o se da la vuelta, para que no tenga que dejarlo solo o sola en el pasillo, y el resto de la clase coloca una prenda de ropa en algún lugar del aula. El voluntario o voluntaria entra de nuevo en el aula o se da la vuelta y el resto de la clase tiene que decirle dónde está para que lo encuentre.

C. ACTIVIDAD DE CIERRE

Tome a Tinta, simule que habla y pregunte a sus estudiantes «¿Dónde está el pegamento?» y pídales que lo señalen. Repita esta misma acción con diferentes materiales del aula. Así, esta-

rá cerrando la clase repasando los contenidos vistos en otras unidades. Recuerde que siempre conviene repasar lo ya visto, para evitar que lo olviden. Por último, simule que Tinta dice «La clase de español ha terminado. Adiós, adiós. Nos vemos el… (día de la semana que volverán a tener clase de español)».

D. RECURSOS DIGITALES

Actividad 1: Cómic digital.

Actividad 2: Relacionar imágenes y palabras (nombres de colores).

– Dos vestidos amarillos — amarillos
– Tres camisetas rojas — rojas
– Un gorro verde — verde
– Un abrigo azul — azul
– Unos pantalones marrones — marrones
– Una falda rosa — rosa

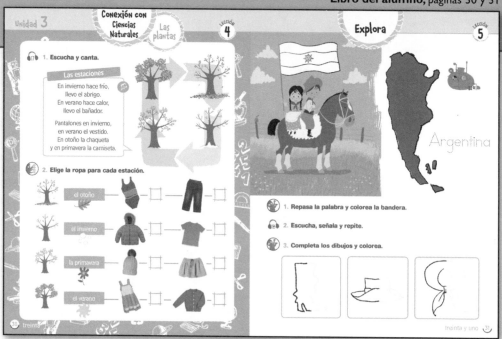

LECCIÓN 4: Conexión con... Ciencias Naturales

En esta lección breve, de tan solo una página y que está relacionada interdisciplinarmente con otra posible asignatura de sus estudiantes, las Ciencias Naturales, los niños y niñas van a aprovechar los recursos lingüísticos que han aprendido (el léxico de la ropa y del tiempo), pero también los van a ampliar con un nuevo conocimiento: los nombres de las cuatro estaciones del año.

A. ACTIVIDADES INICIALES

Comience la clase preguntando a sus estudiantes cómo están, qué día de la semana es y qué tiempo hace. Describa la ropa que lleva diciendo «llevo…» y, a continuación, pregunte a un o una estudiante «¿Qué ropa llevas?».

Realice una actividad previa con las tarjetas (*flashcards*) de las estaciones del año, mostrando de una en una cada tarjeta y diciendo el nombre de la estación. Luego, vuelva a mostrar de una en una las tarjetas y pida a sus estudiantes que repitan después de usted. Finalmente, muestre las tarjetas desordenadas para que sus estudiantes digan el nombre de la estación sin su ayuda.

B. ACTIVIDADES DEL LIBRO DEL ALUMNO

1. Escucha y canta.

Pídales que abran los libros por la página 30 y proyecte el icono de *escucha*. A continuación, proyecte la imagen superior de la página 30 y ponga el audio (pista 17). Reprodúzcalo varias veces mientras señala el árbol que muestra la estación que se va nombrando en la canción. Una vez que los niños y niñas ya estén familiarizados con la canción, pida que se levanten, canten y hagan la mímica de la letra (cuando canten «hace frío», se encojen y cruzan los brazos; al cantar «hace calor», se ponen la mano en la frente como si se quitaran el sudor; cuando canten «pantalones en invierno», hacen el gesto de ponerse unos pantalones, etc.).

Las actividades que implican una respuesta física o un movimiento, las conocidas como TPR (sus siglas en inglés), fueron descritas por James Asher y son propuestas que ayudan a la comprensión de ciertas palabras y expresiones, en este caso para hablar del tiempo que hace, y especialmente a su memorización. En la enseñanza de idiomas para niños y niñas se ha demostrado y experimentado ampliamente su eficacia y a sus estudiantes, además, les parecerá divertido.

2. Elige la ropa para cada estación.

Pídales que elijan la ropa adecuada para cada una de las estaciones. Modele la actividad leyendo la primera estación «otoño» y pregunte a sus estudiantes «¿En otoño, llevo el bañador o llevo los pantalones?».

> Refuerce estos contenidos con las actividades de la página 31 del **Cuaderno de actividades.**

C. RECURSOS DIGITALES

Actividad 1: Relaciona iconos de las estaciones con prenda de vestir.

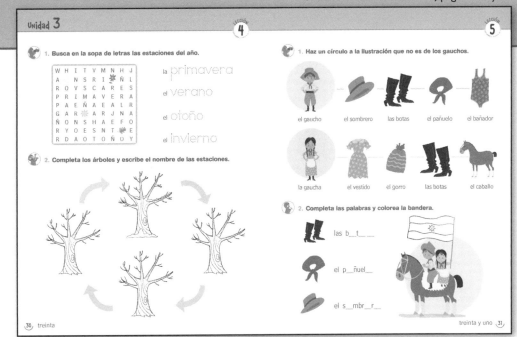

LECCIÓN 5: Explora Argentina

D. ACTIVIDADES DEL LIBRO DEL ALUMNO

Proyecte la página 31 del libro y explique a sus estudiantes que Mateo, Valentina y Tinta han viajado en el submarino hasta Argentina para conocer a los gauchos. Explote didácticamente la ilustración explicándoles que Eduardo y su amiga Camila van disfrazados de gauchos y van a caballo. Señale las prendas de ropa que lleva cada uno de ellos y establezca una conversación con sus estudiantes preguntando «¿Qué ropa lleva Camila?». Seguramente sus estudiantes respondan «vestido», entonces usted puede preguntarles «¿De qué color es el vestido?». A continuación, diga «Sí, Camila lleva un vestido rosa y un pañuelo rojo». Por último, pregunte cómo va vestido Eduardo, «¿Qué ropa lleva Eduardo?» y tras las intervenciones de sus estudiantes diga «Sí, Eduardo lleva unos pantalones grises, un sombrero gris y unas botas negras».

1. Repasa la palabra y colorea la bandera.

Explique a sus estudiantes que Argentina es un país donde se habla español y cuya bandera es de color azul, blanco y azul. Pida a los niños y niñas que repasen la palabra *Argentina* y coloreen la bandera siguiendo el patrón: azul, blanco y azul. Si lo prefiere, como hicimos ya en la unidad anterior, juegue a que sus estudiantes adivinen los colores. Finalmente, muéstreles una foto de la bandera de Argentina (en Internet dispone de muchas) para que vean que el azul que deben poner es claro.

2. Escucha, señala y repite.

Proyecte el icono de *escucha* e intente que los niños y niñas digan «escucha» y que se toquen las orejas. Pida a sus estudiantes que escuchen a Eduardo vestido de gaucho describir la ropa que lleva (pista 18). Póngalo varias veces deteniendo la grabación para que tengan tiempo de encontrar las prendas de ropa que se nombran.

Refuerce estos contenidos con las actividades de la página 31 del **Cuaderno de actividades**.

3. Completa los dibujos y colorea.

Pídales que completen las prendas de ropa de los gauchos y las coloreen a su gusto. A continuación, como complemento, que cada niño o niña diga las prendas y los colores con que las ha coloreado, por ejemplo, «Tengo unas botas azules» o «Mis botas son azules».

E. ACTIVIDAD DE CIERRE

Pida a un voluntario o una voluntaria que salga a la pizarra y dibuje una prenda de ropa de los gauchos, mientras el resto de la clase intenta adivinar de qué pieza de ropa se trata. Tome a Tinta y simule que dice: «Muy bien, niños y niñas. La clase de español ha terminado. Adiós, adiós. Nos vemos el… (día de la semana que volverán a tener clase de español)».

F. RECURSOS DIGITALES

Actividad 1: Sopa de letras digital de la ropa.

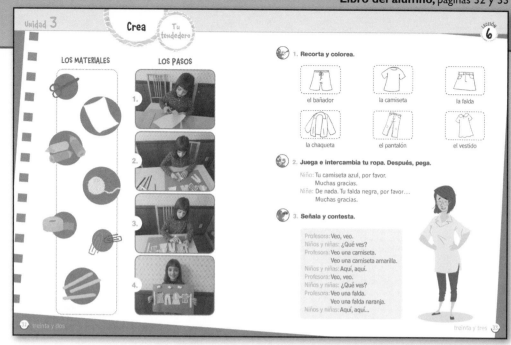

LECCIÓN 6: Crea tu tendedero

A. ACTIVIDADES INICIALES

Comience la clase preguntando a sus estudiantes cómo están, qué día de la semana es y qué tiempo hace. Simule que Tinta dice «Me gusta la camiseta azul de (el nombre de un estudiante de la clase)» y así sucesivamente con diferentes prendas de ropa de niños y niñas de la clase.

A continuación, dibuje en la pizarra un tendedero con diferentes prendas de ropa y explique a sus estudiantes que van a crear su propio tendedero con ropa que ellos mismos y ellas mismas van a colorear a su gusto.

B. ACTIVIDADES DEL LIBRO DEL ALUMNO

Enséñeles la plantilla de las prendas de ropa (página 77 de esta guía) y muestre los materiales para que sus estudiantes vayan diciendo los nombres.

Materiales

Una cartulina: para que pueda fotocopiar en ella las prendas de ropa y tengan así más consistencia que si lo hace en una hoja de papel.

La plantilla de las prendas de ropa: encontrará las plantillas al final de esta guía, en la página 77, para que pueda fotocopiarlas y darle una por cada estudiante, para que las recorte.

Tijeras: para recortar las prendas de ropa.

Lápices de colores: para que coloreen las prendas de ropa a su gusto.

Hilo de lana: para colgar las prendas de ropa.

Dos palos de madera: para simular el tendedero.

Cinta adhesiva o pegamento: para pegar las prendas en el tendedero.

Unos clips: si le parece oportuno, como adorno, simulando unas pinzas de la ropa.

1. Recorta y colorea.

Proyecte la página 32 del libro e indique a sus estudiantes que sigan los cuatro pasos de las fotografías para crear el tendedero de ropa.

2. Juega e intercambia tu ropa. Después, pega.

Pida a los niños y niñas que coloreen y recorten las prendas de ropa. A continuación, antes de crear su tendedero, pida a sus estudiantes que jueguen con sus compañeros y compañeras a intercambiarse las prendas de ropa. Busque un voluntario o voluntaria y muestre cómo jugar al resto del grupo, de la siguiente manera:

Usted: «Tu camiseta azul, por favor».

Niño o niña: (entrega la camiseta).

Usted: «Muchas gracias».

Niño o niña: «De nada. Tu falda negra, por favor».

Usted: (se la da).

Niño o niña: «Muchas gracias».

3. Señala y contesta.

Pida a los niños y niñas que se sienten en un corro con su tendedero. A continuación, pídales que señalen, en caso de tenerla en su tendedero, la pieza de ropa del color que usted describa y que digan «Aquí, aquí».

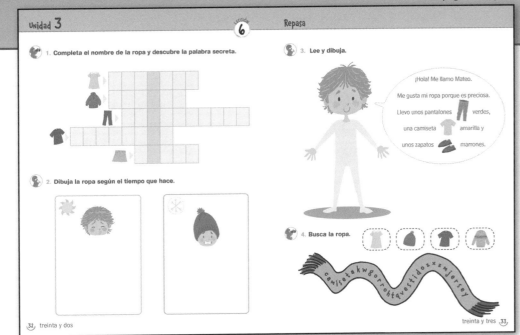

Profesor o profesora: «Veo, veo».

Niños y niñas: «¿Qué ves?».

Profesor o profesora: «Veo una camiseta. Veo una camiseta amarilla».

El niño o la niña que tiene la camiseta amarilla: «Aquí, aquí (señalando la camiseta amarilla de su tendedero)».

C. ACTIVIDAD DE CIERRE

Simule que Tinta dice a sus estudiantes «Los tendederos son muy bonitos, ¡buen trabajo niños y niñas!». A continuación, pídales que antes de marcharse pongan el tendedero que han creado en el tablón o corcho de la clase para que todos puedan verlos y revisar las prendas de ropa en español.

Las actividades de la lección 6 del **Cuaderno de actividades** son un repaso de toda la Unidad 3, para utilizarlas en el momento que cada profesor o profesora considere más apropiado. Se pueden utilizar al final de la unidad o intercalados durante las lecciones.

D. RECURSOS DIGITALES

Actividad 1: Ilutración del alfabeto y debajo los dibujos de *la camiseta, los pantalones, la falda, el vestido, los zapatos, la chaqueta, el abrigo* con tantas rayas punteadas como letras tenga la palabra. Sus estudiantes tienen que arrastrar la letra a cada raya para completar la palabra.

Actividad 2: Completa el texto de Mateo y de Valentina.

pantalones - zapatos - camiseta

¡Hola! Me llamo Mateo.
Me gusta mi ropa.
Llevo unos .... verdes,
una .... roja,
unos........................... morados.

¡Hola! Me llamo Valentina.
Me gusta mi ropa.
Llevo unos .... azules,
una .... amarilla,
unos .... negros.

OBJETIVOS:

- Reconocer y reproducir las palabras: *los ojos, las orejas, la boca, la nariz, el pelo, las piernas, las manos y los brazos.*
- Reconocer y reproducir los juguetes: *la muñeca, el robot, el tren, el osito de peluche, el coche y la bicicleta.*
- Reconocer y reproducir los adjetivos: *rubio, moreno, castaño, pelirrojo, pequeño y grande.*
- Reconocer y reproducir los adjetivos: *contento/a, triste.*
- Repasar los colores trabajados en las unidades anteriores.
- Reconocer Colombia y el juego de la rayuela.
- Uso de las estructuras: *tengo, me gusta y ¿Quieres jugar conmigo?*
- Valores: la amistad y la diversidad.

LECCIÓN 1

La ilustración que abre la unidad presenta a Valentina, Mateo y Tinta en un parque infantil con diferentes juguetes y sirve para mostrar dos contenidos especialmente importantes de la Unidad 4: los nombres de los juguetes y los nombres de las partes del cuerpo. Antes de entrar propiamente en estos dos contenidos, la ilustración, si la proyecta o si la puede reproducir en cualquier soporte en un tamaño grande y a color, puede servirle para que sus estudiantes describan lo que ven. Así utilizan el léxico y los recursos lingüísticos aprendidos y crean, sin darse cuenta, un contexto. La ilustración, como ya le hemos ido indicando, es un recurso al que le recomendamos recurrir durante toda la unidad (bien usando el libro o bien proyectando o imprimiendo la ilustración digital completa), para dar coherencia a las actividades planteadas.

Además, para seguir avanzando en la comprensión de las instrucciones, ahora le sugerimos presentarlas sin el apoyo visual de las tarjetas. Simplemente diga el verbo de la acción que deben hacer e invíteles a que los niños y niñas realicen el gesto correspondiente. Por supuesto, como le indicábamos en

la unidad anterior, si prefiere mantener rutinas previas, por el motivo que sea, nada le impide hacerlo así y no se modifica en absoluto la marcha del curso.

A. ACTIVIDADES INICIALES

Comience la clase con una conversación simular a la que ya le hemos explicado con cómo están, qué día de la semana es y qué tiempo hace. Intente que interactúen y les pregunten a Tinta y a usted cómo están.

B. ACTIVIDADES DEL LIBRO DEL ALUMNO

1. Mira y repite.

Introduzca las partes del cuerpo (*los ojos, las orejas, la boca, la nariz y el pelo*) con las tarjetas (*flashcards*) y pida a sus estudiantes que repitan el nombre de cada uno de ellos. Después, jueguen a *Amanda manda,* para que los niños y niñas se familiaricen con el léxico del cuerpo. Cuando usted diga «Amanda manda tocarse los ojos», sus estudiantes tienen que tocarse los ojos, pero si solo dice «Los ojos» o «Tocarse los ojos», sus estudiantes tienen que quedarse quietos, y así sucesivamente con el resto de partes del cuerpo.

A continuación, introduzca los juguetes (*la muñeca, el robot, el tren, el osito de peluche*) con las tarjetas (*flashcards*) y pida a sus estudiantes que repitan el nombre de cada uno de ellos. Cuando los niños y niñas ya estén familiarizados con el nuevo vocabulario, pídales que abran el libro por la página 34, mientras modela la acción de abrir el libro y muéstreles la página en la que tienen que estar para que la reconozcan visualmente. Como le indicábamos más arriba, para darles más autonomía y avanzar en la comprensión de las instrucciones, ahora le sugerimos presentar las instrucciones sin las tarjetas. Diga «mira» e invíteles a que hagan el gesto que ya conocen. Si ve que es necesario, en estos primeros momentos, realice con ellos el gesto, pero poco a poco, vaya dejando que sus

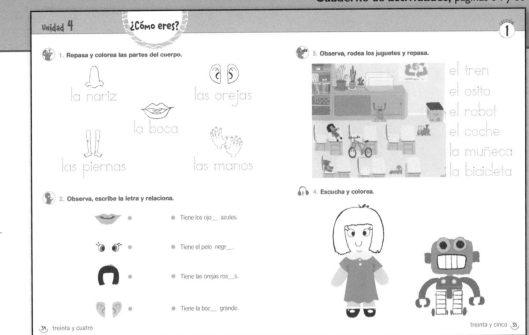

estudiantes lo hagan solos. Seguidamente, lea el vocabulario que aparece escrito de forma desordenada y pida a los niños y niñas que señalen la ilustración correspondiente. Vuelva a leer las palabras, pero esta vez de forma desordenada, y pida a sus estudiantes que señalen la ilustración en cuestión mientras dicen «Aquí, aquí».

Ahora, escucha y pega.

Diga «escucha» y pida a sus estudiantes que hagan el gesto. A continuación, proceda igual con *pega*. Luego, ponga el audio (pista 19) e indíqueles que peguen las pegatinas en el lugar correspondiente. Recuérdeles que no pueden despegar la pegatina hasta que escuchen la palabra y que, cuando la peguen, tienen que decir «Aquí, aquí».

Una vez que haya comprobado que todos sus estudiantes han pegado las pegatinas de forma correcta, señale una de las partes del cuerpo y pregunte «¿Qué es?». Es probable que digan solo «nariz», y este es el momento en el que usted dirá «Muy bien, es la nariz», haciendo énfasis en el artículo. Repita la misma secuencia con el resto del léxico y, a continuación, pregunte «¿De qué color es (una parte del cuerpo)?». Modele la respuesta de sus estudiantes poniendo énfasis en la concordancia de género y diga: «La boca es roja». A continuación, señale cada uno de los juguetes y pregunte: «¿Qué es?».

2. Responde y termina las frases.

Proyecte o imprima la ilustración con la que se abre la unidad, indique la imagen del robot y diga «El robot tiene…» mientras señala su boca y espera la respuesta de sus estudiantes. Cuando los niños y niñas digan «boca», pregúnteles «¿De qué color es la boca?». Seguramente sus estudiantes dirán «rojo», entonces usted modele su respuesta poniendo énfasis en la concordancia de género y diga «El robot tiene la boca roja». Pida a sus estudiantes que repitan toda la frase y repita la misma secuencia con la descripción de la muñeca y el tren.

3. Lee y practica con tu compañero.

Diga «escucha» e intente que sus estudiantes realicen el gesto correspondiente. A continuación, dramatice el diálogo. Pídales que, en parejas, describan de qué color son sus ojos. Es probable que digan solo «Los ojos negros», y este es el momento en el que usted dirá «Yo tengo los ojos negros» y pedirá a los niños y niñas que lo repitan.

> Refuerce estos contenidos con las actividades de las páginas 34 y 35 del **Cuaderno de actividades.**

C. ACTIVIDAD DE CIERRE

Tome a Tinta y simule que dice: «Muy bien, niños y niñas. La clase de español ha terminado. Adiós, adiós. Nos vemos el… (día de la semana que volverán a tener clase de español)».

D. RECURSOS DIGITALES

Actividad 1: Pulsa sobre la palabra que escuchas.

Actividad 2: Relaciona lo que oyes con las partes del cuerpo y los juguetes (*los ojos, las orejas, la boca, la muñeca, el pelo, la nariz, el robot, el tren, el osito de peluche*).

Actividad 3: Relaciona las frases con la ilustración.

1. Yo tengo los ojos azules.

2. Yo tengo los ojos negros.

3. Yo tengo los ojos verdes.

4. Yo tengo los ojos marrones.

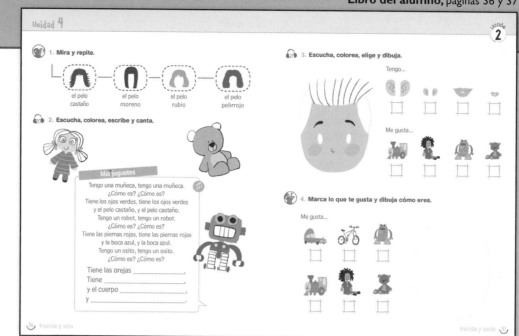

LECCIÓN 2

A. ACTIVIDADES INICIALES

Comience la clase preguntando a sus estudiantes cómo están, qué día de la semana es y qué tiempo hace. Simule que Tinta habla y pregunte a un niño o a una niña «¿Tienes los ojos marrones?» y así sucesivamente con varios estudiantes y colores. Recuerde hacer participar a todos por igual.

B. ACTIVIDADES DEL LIBRO DEL ALUMNO

Pídales que abran el libro por la página 36, mientras modela la acción de abrirlo.

1. Mira y repite.

Introduzca el vocabulario de los colores del pelo (*el pelo castaño, el pelo moreno, el pelo rubio* y *el pelo pelirrojo*) con las tarjetas (*flashcards*) y pida a sus estudiantes que repitan el nombre de cada uno de ellos después de usted. Recuerde que en las tarjetas digitales (*flashcards*) dispone también de la opción de escuchar la locución, por si prefiere no tener que leer usted las palabras o por si quiere que sus estudiantes se enfrenten también a otras voces y otras pronunciaciones. A continuación, pida a sus estudiantes que tengan el pelo castaño que se levanten de la silla y cuéntelos, con la ayuda de toda la clase. Diga y escriba en la pizarra «(el número) estudiantes tienen el pelo castaño». Repita la misma secuencia con los niños y niñas que tienen el pelo moreno, el pelo rubio y el pelo pelirrojo.

2. Escucha, colorea, escribe y canta.

Diga, de uno en uno, los cuatro verbos: «escucha», «colorea», «escribe» y «canta». Pida que, después de cada uno, sus estudiantes hagan el gesto correspondiente. A continuación, diga los verbos en distinto orden, para que sus estudiantes reproduzcan los gestos en el mismo orden en que usted los dice. Si

le parece adecuado, como complemento, puede pedir a uno o varios voluntarios y voluntarias que digan las cuatro instrucciones en desorden y que el resto de la clase realice los gestos, para ir añadiendo así un mayor grado de autonomía y cambiar la dinámica. Ponga el audio de la canción *Mis juguetes* (pista 20) y pida a los niños y niñas que coloreen las partes del cuerpo de la muñeca y el robot, tal y como indica la letra. A continuación, pídales que le ayuden a completar la última estrofa de la canción. Para ello, escriba en la pizarra las ideas de sus estudiantes y lleguen a un acuerdo entre todos y todas. Por último, pida a los niños y niñas que copien la nueva estrofa en sus libros y practiquen la canción hasta que la puedan cantar sin su ayuda.

> Refuerce estos contenidos con las actividades 1 y 2 de la página 36 del **Cuaderno de actividades**.

3. Escucha, colorea, elige y dibuja.

Dé las cuatro instrucciones de una en una para que sus estudiantes hagan los gestos correspondientes. Como le hemos recomendando en la actividad anterior, pida que participen activamente sus estudiantes y asegúrese que ahora los voluntarios y voluntarias son otros. Pídales que escuchen el audio (pista 21) y marquen la opción que describe las orejas y la boca de Pablo, así como los juguetes que le gustan. Por último, pídales que las dibujen y coloreen los ojos y el pelo, tal y como se describen en el audio.

4. Marca lo que te gusta y dibuja cómo eres.

Proyecte o muestre la imagen inferior de la página 37 y pregunte a varios estudiantes «¿Te gusta el coche?» y así sucesivamente con los diferentes juguetes que aparecen. Pida a los niños y niñas que marquen las casillas de los juguetes que les gustan y que dibujen las partes de su cara. Por último, pídales que presenten su trabajo a un compañero o compañera, señalando y diciendo en español los juguetes y partes del cuerpo. A sus estudiantes más avanzados, pídales que sigan

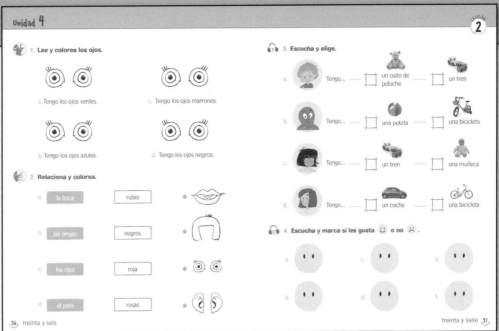

Unidad 4 — 2

1. Lee y colorea los ojos.

a. Tengo los ojos verdes.

b. Tengo los ojos azules.

c. Tengo los ojos marrones.

d. Tengo los ojos negros.

2. Relaciona y colorea.

a. la boca — rubio

b. las orejas — negros

c. los ojos — roja

d. el pelo — rosas

3. Escucha y elige.

a. Tengo... un osito de peluche / un tren

b. Tengo... una pelota / una bicicleta

c. Tengo... un tren / una muñeca

d. Tengo... un coche / una bicicleta

4. Escucha y marca si les gusta ☺ o no ☹.

a. b. c. d. e. f.

treinta y seis 36 — treinta y siete 37

---

el siguiente modelo: «Me gusta (los juguetes). Tengo los ojos (color), el pelo (color), la boca (grande/pequeña) y las orejas (grandes/pequeñas)».

Refuerce estos contenidos con las actividades 3 y 4 de la página 37 del **Cuaderno de actividades**.

C. ACTIVIDAD DE CIERRE

Tome a Tinta y simule que habla. A continuación, acérquense a un niño o a una niña diciendo: «Me gusta la bicicleta. ¿Y a ti?» y haga hincapié en que conteste con una frase completa «Sí, me gusta la bicicleta». Repita esta misma acción con diferentes estudiantes y juguetes. Por último, simule que Tinta dice «Muy bien, niños y niñas. La clase de español ha terminado. Adiós, adiós. Nos vemos el… (día de la semana que volverán a tener clase de español)».

D. RECURSOS DIGITALES

Actividad 1: Juego de *memory* de audio e imágenes (*los ojos, la boca, la nariz, las orejas, el pelo, las piernas, las manos, los brazos*).

Actividad 2: Actividad de repaso de todos los juguetes trabajados hasta ahora (*la muñeca, el robot, el osito de peluche, el tren, el coche, la bicicleta, las cartas y la pelota*).

Actividad 3: Lee las frases y relaciona con las ilustraciones.

1. Yo tengo el pelo rubio.

2. Yo tengo el pelo pelirrojo.

3. Yo tengo el pelo moreno.

4. Yo tengo el pelo castaño.

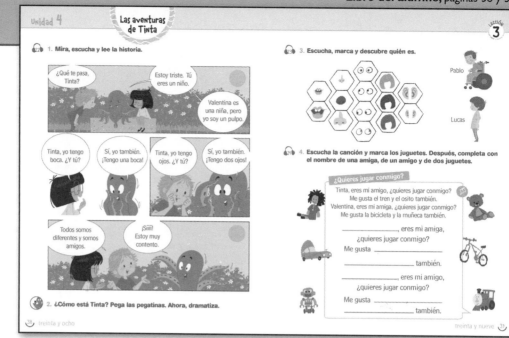

LECCIÓN 3: Las aventuras de Tinta

A. ACTIVIDADES INICIALES

Comience la clase, como en otras lecciones, preguntando a sus estudiantes cómo están, qué día de la semana es y qué tiempo hace. Simule que Tinta habla y dice «Mi juguete favorito es el tren». A continuación, haga que Tinta pregunte a un estudiante «¿Cuál es tu juguete favorito?» y ayúdele a contestar la pregunta, pidiéndole que repita «Mi juguete favorito es…». Es una manera interactiva de repasar los juguetes y de conocer mejor a sus estudiantes.

B. ACTIVIDADES DEL LIBRO DEL ALUMNO

1. Mira, escucha y lee la historia.

Pídales que abran el libro por la página 38. Diga «mira», para que hagan el gesto y, a continuación, «escucha» para que procedan igual y, por último, «mira». Pida después que algún voluntario o voluntaria diga las tres instrucciones desordenadas, para que el resto de la clase haga los gestos correspondientes. Proyecte el cómic o haga que la clase mire el libro y ponga el audio (pista 22) de la historia. Póngalo varias veces deteniendo la grabación para que sus estudiantes lo repitan mientras miran el cómic.

2. ¿Cómo está Tinta? Pega las pegatinas. Ahora, dramatiza.

Diga «pega» para que realicen el gesto de pegar. Al final del **Libro del alumno**, encontrará las pegatinas de todo el libro y en la segunda página hay dos pegatinas extra correspondientes a la Unidad 4: un gomet amarillo y otro rojo. Explique a sus estudiantes que la pegatina amarilla significa que Tinta está contento y la roja, que Tinta está triste. Quizá lo tendrá que hacer también en su lengua. Pídales que peguen la pegatina *triste* en la viñeta del cómic correspondiente (primera viñeta) e intente que digan «Tinta está triste». A continuación,

pídales que peguen la pegatina *contento* en la viñeta que crean adecuada (cuarta viñeta) y que digan «Tinta está contento».

Este cómic transmite la importancia de la aceptación y el respeto a la diversidad. Valentina, Mateo y Tinta son diferentes, ya que el primero es un niño, Valentina es una niña y, por último, Tinta es un pulpo. Sin embargo, tal como Valentina y Mateo muestran a Tinta, la amistad está por encima de las supuestas diferencias. Además, todos somos diversos en ciertos aspectos y no por ello menos amigos. Si lo considera oportuno, seguramente en su lengua materna, comente con sus estudiantes estos aspectos, que transmiten valores.

Diga «dramatiza» para que sus estudiantes hagan gestos exagerados con la cara. Asigne a tres niños y niñas un personaje y estos tienen que leer dramatizando el cómic.

Pídales que formen grupos de tres y que cada estudiante elija un personaje para dramatizar con su grupo.

> Refuerce estos contenidos con la actividad 1 de la página 38 del **Cuaderno de actividades**.

3. Escucha, marca y descubre quién es.

Realice la presentación de las actividades y ponga el audio (pista 23). Póngalo varias veces deteniendo la grabación para que sus estudiantes tengan tiempo de marcar las partes del cuerpo que se nombran. A continuación, pregúnteles «¿Quién es?» «¿Es Pablo?» «¿Es Lucas?». Siga haciendo preguntas a sus estudiantes sobre la ilustración, con el objetivo de repasar el vocabulario trabajado en las lecciones anteriores. Pregunte «¿Dónde está la boca grande?» y pídales que la señalen y digan «Aquí, aquí». Asimismo, puede preguntar «¿Dónde está el pelo rubio?» o «¿Dónde están las orejas pequeñas?».

> Refuerce estos contenidos con la actividad 2 de la página 38 del **Cuaderno de actividades**.

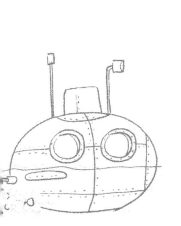

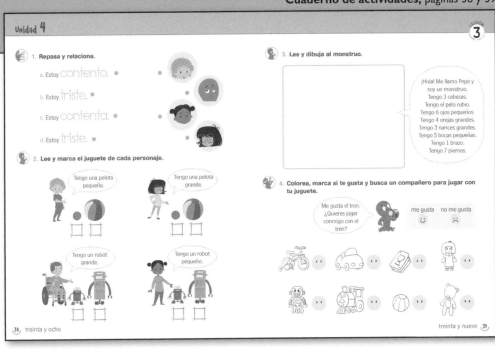

1. Repasa y relaciona.

a. Estoy contento. •
b. Estoy triste. •
c. Estoy contenta. •
d. Estoy triste. •

2. Lee y marca el juguete de cada personaje.

Tengo una pelota pequeña.

Tengo una pelota grande.

Tengo un robot grande.

Tengo un robot pequeño.

3. Lee y dibuja al monstruo.

¡Hola! Me llamo Pepe y soy un monstruo.
Tengo 3 cabezas.
Tengo el pelo rubio.
Tengo 6 ojos pequeños.
Tengo 4 orejas grandes.
Tengo 3 narices grandes.
Tengo 5 bocas pequeñas.
Tengo 1 brazo.
Tengo 7 piernas.

4. Colorea, marca si te gusta y busca un compañero para jugar con tu juguete.

Me gusta el tren. ¿Quieres jugar conmigo con el tren?

me gusta   no me gusta

treinta y ocho 38

treinta y nueve 39

4. Escucha la canción y marca los juguetes. Después, completa con el nombre de una amiga, de un amigo y de dos juguetes.

Presente las actividades de *escucha* y *mira*. Ponga la canción (pista 24) varias veces e indique a los niños y niñas que marquen los juguetes que se nombran. Lea el texto de la canción, en pequeños fragmentos, y pida a sus estudiantes que lo repitan en coro después de usted. A continuación, pídales que escojan el nombre de una compañera y el de un compañero, así como dos juguetes, para completar el texto. Por último, elija a varios voluntarios y voluntarias para compartir lo que han escrito y para que canten.

Refuerce estos contenidos con las actividades 3 y 4 de la página 39 del **Cuaderno de actividades**.

C. ACTIVIDAD DE CIERRE

Tome a Tinta, simule que está triste y pregunte a sus estudiantes «¿Cómo está Tinta?». A continuación, haga lo mismo, pero simulando que Tinta dice «¡Hola niños y niñas!» entre sollozos y después simule que Tinta vuelve a decir «¡Hola niños y niñas!», pero esta vez riéndose. Por último, haga que Tinta diga «La clase de español ha terminado. Adiós, adiós. Nos vemos el… (día de la semana que volverán a tener clase de español)».

D. RECURSOS DIGITALES

Actividad 1: Cómic digital.

Actividad 2: Lee las frases y elige las opciones correctas.

Tengo la boca grande. Tengo la nariz pequeña. Tengo los ojos azules. Tengo el pelo pelirrojo y tengo las orejas pequeñas.

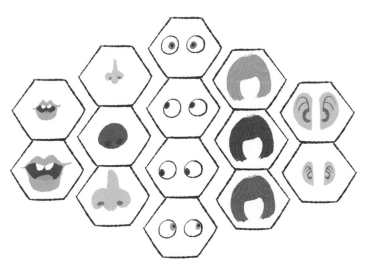

LECCIÓN

4

LECCIÓN 4: Conexión con... Ciencias Naturales:

En esta unidad vamos a trabajar con el cuerpo humano y sus sentidos.

A. ACTIVIDADES INICIALES

Tal y como le hemos ido recomendando, comience la clase con una conversación, similar a las ya hechas, pero con cambios, para que no sea todo una pura repetición. En esta ocasión, pregunte a sus estudiantes cómo están, qué día de la semana es y qué tiempo hace. Describa cómo es su cara: «Tengo los ojos (color), tengo la boca (grande/pequeña) …» y, a continuación, pregunte a un o una estudiante «¿Y tú?».

B. ACTIVIDADES DEL LIBRO DEL ALUMNO

1. Relaciona.

Pídales que abran los libros por la página 40. A continuación, diga «relaciona» para que conecten los dedos de las dos manos. Luego, proyecte la imagen superior de la página 40 y nombre las partes del cuerpo que aparecen (*la mano*, *la nariz*, *el ojo*, *la oreja*, *la boca*), mientras las va señalando. Pida a sus estudiantes que repitan las palabras y que las relacionen con la actividad u objeto adecuado.

2. Escucha y canta.

Ponga el audio de la canción *Los cinco sentidos* (pista 25) y pídales que señalen la imagen conveniente, a medida que se vaya nombrando la parte del cuerpo y su acción correspondiente. A continuación, pídales que se pongan en parejas y muéstreles el siguiente juego de palmas:

– Cada miembro de la pareja da dos palmadas con sus propias manos, mientras cantan «como, como».
– Entonces, las parejas unen primero las dos manos derechas y, luego, las dos manos izquierdas para dar dos palmadas, mientras cantan «con la boca».

Siga el mismo patrón con el resto de la canción:

– Cada miembro de la pareja da dos palmadas con sus propias manos, mientras cantan «veo, veo».
– Las parejas unen, en primer lugar, las dos manos derechas y, luego, las dos manos izquierdas para dar dos palmadas, mientras cantan «con los ojos».

3. Dibuja objetos para cada sentido.

Pídales que digan en voz alta las partes del cuerpo que aparecen y que dibujen objetos o realicen actividades relacionadas con los mismos.

> Refuerce estos contenidos con las actividades de la página 40 del **Cuaderno de actividades**.

C. ACTIVIDAD EXTRA

Tome a Tinta, simule que dice «Como, como…» para que el resto de la clase complete la frase y diga «con la boca», y así sucesivamente con el resto de la canción. Por último, varios voluntarios y voluntarias actúan como lo ha hecho Tinta, diciendo el principio de las frases para que el resto de la clase lo complete.

D. RECURSOS DIGITALES

Actividad 1: Relaciona audio e imagen.

Como, como	con	
Veo, veo	con	
Escucho, escucho	con	
Toco, toco	con	
Huelo, huelo	con	

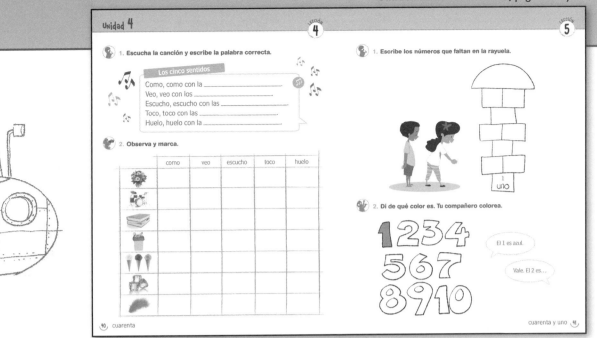

LECCIÓN 5: Explora Colombia

E. ACTIVIDADES DEL LIBRO DEL ALUMNO

Proyecte la página 41 del libro y explique a sus estudiantes que Mateo, Valentina y Tinta han viajado en el submarino hasta Colombia para jugar con Catalina y un amigo suyo colombiano a un juego muy divertido. Explote didácticamente la ilustración preguntando a sus estudiantes «¿De qué color es el pelo de Catalina?» «¿De qué color son los ojos de su amigo?». Seguramente sus estudiantes respondan «moreno» y «negro», entonces diga «Sí, Catalina tiene el pelo moreno» y «Sí, su amigo tiene los ojos negros».

1. Repasa la palabra y colorea la bandera.

Explique a sus estudiantes que Colombia es un país donde se habla español y cuya bandera es de color amarillo, azul y rojo. Puede pedirles, como en otras unidades, que jueguen a adivinar los colores. Pídales que repasen la palabra *Colombia* y coloreen la bandera siguiendo el patrón: amarillo, azul y rojo. Si dispone de un mapamundi, es muy conveniente que ubiquen Colombia. Pida que un voluntario o una voluntaria lo indique. A continuación, señale la imagen de la rayuela y explíqueles que se trata de un juego muy conocido en Colombia y en otros muchos países de habla hispana.

La rayuela en realidad es un juego de iniciación infantil muy popular en todo el mundo. Es un juego que ayuda a los niños y a las niñas a desarrollar su agilidad, su coordinación y sus psicomotricidad gruesas. También se llama *el tizo* o *el avión*.

2. Escucha y colorea.

Diga «escuchar» y, luego, «colorea» que los niños y niñas reproduzcan el gesto. Pida a sus estudiantes que coloreen los números, tal como se indica en el audio (pista 26). Póngalo varias veces deteniendo la grabación para que sus estudiantes tengan tiempo de colorear todos los números.

3. Dibuja una rayuela en el suelo, repite y juega.

Pídales que le ayuden a dibujar una rayuela en el suelo. Usted dibuje las casillas y que sean sus estudiantes quienes escriban los números. A continuación, muéstreles cómo se juega explicándoles que, por turnos, cada estudiante debe lanzar un pequeño objeto (una piedra o una goma de borrar) en la primera casilla, que pasará a denominarse *casa* y no se podrá pisar. Entonces el niño o la niña en cuestión debe recorrer el circuito saltando a la pata coja en los cuadrados y con los dos pies, si se trata de un cuadrado doble. Se sigue este mismo patrón con las casillas sucesivas hasta que cada niño o niña haya completado todos los números. Pídales que digan «me toca» cuando sea su turno.

> Refuerce estos contenidos con las actividades de la página 41 del **Cuaderno de actividades**.

F. ACTIVIDAD DE CIERRE

Tome a Tinta y simule que dice: «Muy bien, niños y niñas. La clase de español ha terminado. Adiós, adiós. Nos vemos el… (día de la semana que volverán a tener clase de español)».

G. RECURSOS DIGITALES

Actividad 1: Colorea la rayuela según el color que escuchas.

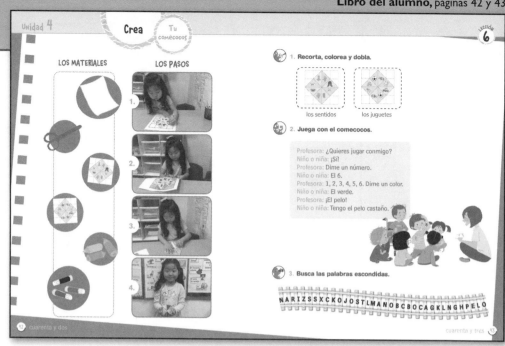

LECCIÓN 6: Crea tu comecocos

A. ACTIVIDADES INICIALES

Comience la clase preguntando a sus estudiantes cómo están, qué día de la semana es y qué tiempo hace. Simule que Tinta habla y acérquese a un o una estudiante mientras dice «Tengo una bicicleta amarilla, ¿y tú?», y así sucesivamente con diferentes juguetes y niños y niñas de la clase.

A continuación, proyecte la página 42 del libro y explique a sus estudiantes que van a crear un comecocos de los sentidos y otro de los juguetes.

B. ACTIVIDADES DEL LIBRO DEL ALUMNO

Enséñeles las plantillas de los comecocos (los tiene al final de esta guía, en las páginas 78 y 79, para que pueda fotocopiarlos y repartirlos) y vaya señalando los juguetes y las partes del cuerpo para que los niños y niñas digan su nombre. A continuación, presente los materiales que van a utilizar y pida a sus estudiantes que los repitan.

Materiales

Cartulinas: necesita dos por cada niño o niña, para que en cada una pueda fotocopiar cada plantilla de comecocos.

Las plantillas de los comecocos: las tiene en la página 78 y 79. Puede utilizar las dos o solo una, como desee. En un comecocos se trabajan los colores y las partes del cuerpo; en el otro, los colores y los juguetes. Puede, por tanto, combinar la actividad con los dos comecocos o puede hacer un día uno y otro día, el otro.

Tijeras: para que los niños y niñas recorten sus comecocos.

Lápices de colores o rotuladores: para que coloreen el interior de los comecocos.

1. Recorta, colorea y dobla.

Pídales que coloreen el comecocos a su gusto. A continuación, dígales que recorten el recuadro principal y que lo doblen según se indica a continuación:

– Doble el papel en diagonal uniendo los vértices opuestos, primero de un lado y luego del otro. Se formarán dos triángulos y al abrirlos quedarán marcadas las diagonales del cuadro.

– Doble los cuatro extremos del cuadro hacia el centro de éste y dele la vuelta.

– Una vez haya dado la vuelta el cuadro, doble los cuatro extremos hacia el centro.

– Ponga los dedos en los huecos que quedan en los cuatro extremos y ya está listo para jugar.

2. Juega con el comecocos.

Los niños y niñas van a jugar e interactuar en parejas, pero antes, para que conozcan la dinámica y lo que tienen que hacer, pida a sus estudiantes que se sienten en un corro en el suelo con su comecocos. A continuación, elija a un voluntario o una voluntaria para mostrar cómo se juega al comecocos de los sentidos, siguiendo el siguiente ejemplo:

Usted: «¿Quieres jugar conmigo?».

Niño o niña: «¡Sí!».

Usted: «Dime un número».

Niño o niña: «El 6».

Usted: «1, 2, 3, 4, 5, 6. Dime un color».

Niño o niña: «El verde».

Usted: «¡El pelo!»

Niño o niña: «Tengo el pelo castaño».

Tras jugar con diferentes estudiantes, pídales que ahora jueguen en parejas.

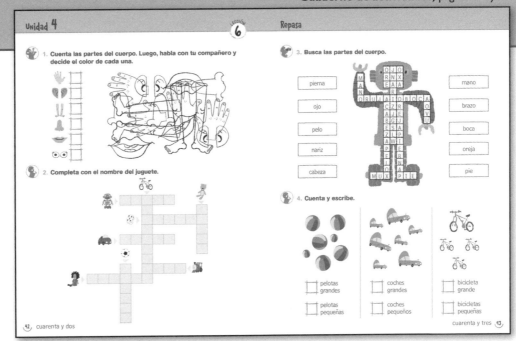

Unidad **4** Lección **6** Repasa

1. Cuenta las partes del cuerpo. Luego, habla con tu compañero y decide el color de cada una.

2. Completa con el nombre del juguete.

3. Busca las partes del cuerpo.

pierna ojo pelo nariz cabeza

mano brazo boca oreja pie

4. Cuenta y escribe.

pelotas grandes pelotas pequeñas coches grandes coches pequeños bicicleta grande bicicletas pequeñas

cuarenta y dos cuarenta y tres

Para jugar con el comecocos de los juguetes siga el siguiente modelo:

Usted: «¿Quieres jugar conmigo?».

Niño o niña: «¡Sí!».

Usted: «Dime un número».

Niño o niña: «El 4».

Usted: «1, 2, 3, 4. Dime un color».

Niño o niña: «El rojo».

Usted: «¡El tren!».

Niño o niña: «Me gusta el tren».

Cuando los estudiantes estén preparados, pídales que ahora jueguen en parejas.

3. Busca las palabras escondidas.

Pida a sus estudiantes que encuentren las partes del cuerpo escondidas en la vía del tren (*nariz, ojos, mano, boca, pelo*) y que las nombren.

Las actividades de la lección 6 del **Cuaderno de actividades** son un repaso de toda la Unidad 4 para utilizarlas en el momento que usted considere más apropiado. Se pueden utilizar al final de la unidad o intercaladas durante las lecciones.

C. ACTIVIDAD DE CIERRE

Simule que Tinta dice a sus estudiantes «Me gustan mucho vuestros comecocos, ¡buen trabajo niños y niñas!». A continuación, dígales que se pueden llevar los comecocos a casa y jugar con su familia para que también aprendan las partes del cuerpo y los juguetes en español.

D. RECURSOS DIGITALES

Actividad 1: Ilustración del alfabeto y debajo los dibujos de *los ojos, la boca, la nariz, las orejas, el pelo, las piernas, las manos, los brazos*. Sus estudiantes tienen que arrastrar la letra a cada raya para completar la palabra. Es una manera de repasar el alfabeto a lo largo de todo el libro, y a la vez reforzar el vocabulario.

Actividad 2: Arrastra y completa el texto con la palabra correcta.

pelo, tren, rayuela, contenta, ojos,

¡Hola! Me llamo Valentina.

Estoy ....

Tengo los .... azules y el .... moreno.

Me gusta el .... y la ....

¿Quieres jugar conmigo?

OBJETIVOS:

- Reconocer y reproducir las palabras: *el oso panda, la jirafa, el pingüino, el tigre, la llama, el león, el canguro, el mono, el elefante, el pavo real, el bosque* y *la granja.*
- Reconocer y reproducir los verbos: *correr (corre), andar (anda), volar (vuela), saltar (salta)* y *nadar (nada).*
- Reconocer y reproducir las partes del cuerpo: *la cabeza, el pico, el cuello, el cuerpo, las alas, las patas* y *la cola.*
- Iniciar la concienciación gramatical sobre la conjugación de la segunda y tercera persona del presente (*eres, es, tienes, tiene*).
- Describir animales: *Es… y tiene…*
- Expresar existencia en el presente: *Hay un oso panda en el zoo.*
- Reconocer Perú y familiarizarse con las llamas y alpacas.

LECCIÓN 1

En esta unidad, vamos a recomendarle de nuevo un cambio de estrategia con respecto a las instrucciones: presente las consignas mediante una tarjeta (fotocopiando las que encontrará al final de esta guía, en las páginas 72 y 73, y creando con ellas unas tarjetas o proyectándolas o simplemente señalándolas en las páginas de sus libros), pero usted no diga nada, que sean sus estudiantes quienes digan la instrucción (el verbo) y realicen los gestos.

A. ACTIVIDADES INICIALES

Comience la clase con una conversación, como le hemos mostrado al inicio de esta guía.

Proyecte la ilustración que abre la unidad y haga preguntas a sus estudiantes sobre lo que ven en ella. La ilustración presenta a Valentina, Mateo y Tinta recorriendo en tren un zoo.

Empiece con preguntas sobre lo que ya saben: «¿Quién es? (señalando a Mateo, a Valentina o a Tinta)», «¿Dónde están?», «No están en la escuela, ¿dónde están?». Si sus estudiantes no se animan a responder, deles las respuestas e intente que las repitan.

Continúe diciendo: «En el zoo hay muchos animales». Señale los animales y vaya diciendo sus nombres: *las jirafas, las llamas, el león, los pingüinos, los osos panda.* Pregunte cuántos osos panda hay, cuántas jirafas, cuántos leones, cuántas llamas, cuántos pingüinos, y pregunte también de qué color es cada uno.

B. ACTIVIDADES DEL LIBRO DEL ALUMNO

1. Mira y repite.

Muestre la tarjeta de *mira* y pida a sus estudiantes que digan la consigna y hagan el gesto correspondiente. A continuación, muestre la tarjeta de *repite* y proceda de la misma manera. Si lo considera oportuno, juegue unos minutos a mostrar las dos tarjetas de las dos instrucciones en distinto orden, como si se tratara de un juego, cada vez más rápido. Luego, muestre o proyecte la tarjeta del oso panda y diga «el oso panda» o use el audio de la tarjeta digital, haga el gesto de *repite* para que sus estudiantes repitan «el oso panda». Proceda de la misma forma con el resto de las nueve tarjetas. Muestre o proyecte de nuevo las tarjetas alterando el orden para que la clase de forma coral diga el nombre del animal correspondiente. Repita esta actividad hasta que sus estudiantes estén familiarizados con los nombres de los animales. Como complemento, si le parece oportuno, proyecte la imagen de entrada completa, reparta aleatoriamente las tarjetas y cada estudiante dirá el nombre del animal que tiene representado en su tarjeta y otro u otra debe levantarse y señalarlo en la imagen proyectada.

2. Mira y di el color.

Muestre las tarjetas de *mira* y de *habla*, para que sus estudiantes den la instrucción y hagan los gestos. Continúe trabajando con las tarjetas de los animales, pero ahora el objetivo es que

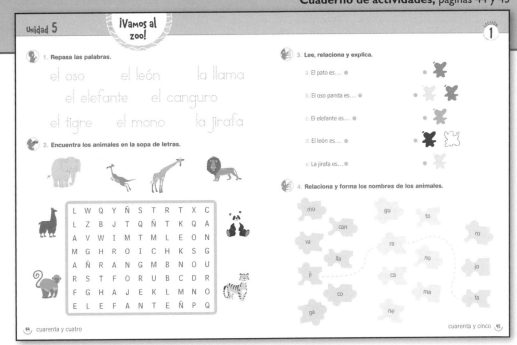

los niños y niñas describan el color o colores de cada animal. Modele un ejemplo para que sepan qué se espera de ellos y ellas. «¿De qué color es el oso panda?», «El oso panda es blanco y negro». Repita esta actividad varias veces. Es probable que la actividad genere cierto debate en la clase y que sus estudiantes no se pongan de acuerdo respecto al color de algunos animales.

Ahora, escucha y pega.

Presente las imágenes de *escucha* y de *pega* y actúe como le estamos indicando en esta unidad. Ponga el audio (pista 27) y pídales que peguen las pegatinas en el lugar correspondiente. Recuérdeles que no pueden despegar la pegatina hasta que escuchen la palabra y sea un poco más exigente que en las unidades previas, pídales que, cuando peguen la pegatina, digan «El pingüino está aquí, aquí».

Una vez que haya comprobado que todos y todas han pegado las pegatinas de forma correcta, señale uno de los animales y pregunte: «¿Qué es?». En este momento, es probable que sus estudiantes solo digan «oso panda», «león»… Después, pregunte «¿De qué color es?». Sus estudiantes dirán «blanco y negro», «marrón». Le recomendamos que les diga, «Muy bien, el oso panda es blanco y negro», «Muy bien, el león es marrón»…, para ir exponiéndolos a un *input* más rico y contextualizado. Repita la misma secuencia con el resto de los animales.

> Refuerce estos contenidos con las actividades 1 a 3 de las páginas 44 y 45 del **Cuaderno de actividades** diseñadas para trabajar la lectoescritura del léxico presentado: los nombres de algunos animales.

3. Habla con tu compañero.

Ahora que ya están familiarizados con el léxico presentado, es el momento de introducir un juego que le permita saber si son capaces de reconocer todas las palabras dentro de un contexto real. Forme parejas y pídales que se hagan entre sí preguntas sobre los animales. Modele un ejemplo.

Niño o niña A: «¿Hay un oso panda en el zoo?».
Niño o niña B: «Sí, hay un oso panda».

Cuando hayan trabajado unos minutos en parejas, comparta la actividad con toda la clase. Lance a Tinta a un niño o a una niña; quien tenga a Tinta deberá formular una pregunta y lanzar a Tinta a otro compañero o compañera. Quien ahora tiene a Tinta deberá responder la pregunta; si no sabe, lanza a Tinta a un compañero o compañera que esté levantando la mano porque sí sabe la respuesta. Quien responda formula otra pregunta y lanza a Tinta.

> La actividad 4 de la página 45 del **Cuaderno de actividades** no solo sirve para reforzar la lectoescritura de los nombres de los animales, sino que, además, recupera otros tres (*vaca, canguro* y *gato*) vistos en la Unidad 1 y que sus estudiantes necesitarán en la lección siguiente. Sería muy conveniente que tuviera preparadas las tarjetas (*flashcards*) de todos los animales que aparecen en la actividad y que realice una actividad oral previa con toda la clase.

C. ACTIVIDAD DE CIERRE

Tome a Tinta, acérquelo a un niño o a una niña y simule que dice: «Mi animal favorito es el elefante. ¿Cuál es tu animal favorito?» y así vaya pasando por toda la clase. A continuación, vuelva a simular que dice: «Muy bien, niños y niñas. La clase de español ha terminado. Adiós, adiós. Nos vemos el… (día de la semana que volverán a tener clase de español)».

D. RECURSOS DIGITALES

Actividad 1: Juego de *memory* auditivo con los animales.

Actividad 2: Arrastra las piezas del rompecabezas.

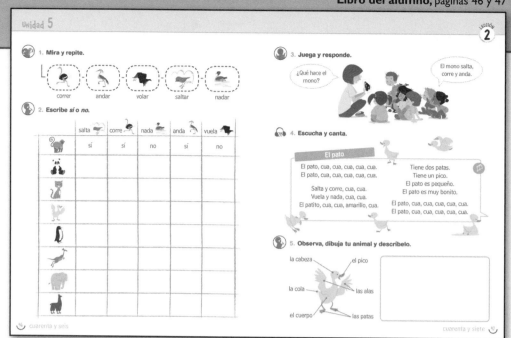

LECCIÓN 2

A. ACTIVIDADES INICIALES

Como en las unidades anteriores y en el inicio de todas las lecciones o clases, empiece esta con una conversación preguntando a sus estudiantes cómo están, qué día de la semana es, e intente que sus estudiantes también les pregunten a Tinta o a usted cómo están.

A continuación, diga a sus estudiantes que van a jugar a ver cuántos nombres de animales recuerdan. Usted comienza diciendo uno, por ejemplo, «mono», y quienes recuerden algún nombre de un animal levantan la mano y lo dicen. Usted les irá dando el turno para que cada uno diga el animal que recuerda hasta que los hayan dicho todos. Escriba en la pizarra, según vayan saliendo, todos los nombres con su artículo determinado correspondiente. Después, diga: «Es un animal amarillo y negro». Quien adivine antes el animal dice los colores de otro para que un compañero o una compañera lo adivine y así sucesivamente hasta que crea que sus estudiantes recuerdan el léxico de los animales.

B. ACTIVIDADES DEL LIBRO DEL ALUMNO

1. Mira y repite.

Mantenga los libros cerrados. Muestre las tarjetas de *mira* y de *repite* y actúe como le hemos venido indicando en esta unidad: son sus estudiantes quienes dicen los verbos y hacen los gestos. A continuación, muestre o proyecte la tarjeta de *correr* y diga «correr» o use el audio de la *flashcard* digital y haga el gesto de *repite* para que sus estudiantes repitan «correr». Proceda de la misma forma con las cinco tarjetas restantes: *andar, volar, saltar, nadar*. Muestre o proyecte de nuevo las tarjetas alterando el orden para que la clase, de forma coral, diga el nombre de la acción correspondiente mientras realizan la mímica. Repita esta actividad hasta que sus estudiantes estén familiarizados con los nombres de las acciones.

A continuación, haga usted la mímica de las cinco acciones para que sus estudiantes digan qué acción está realizando. Como complemento, puede pedirles a sus estudiantes que realicen la mímica para que el resto de sus compañeros y compañeras adivinen la acción.

2. Escribe *sí* o *no*.

Pídales que abran el libro, mientras modela la acción de abrirlo y muéstreles la página en la que tienen que estar para que la reconozcan visualmente. Diga: «Abran/Abrid el libro en la página 46» y escriba el número 46 en la pizarra.

Explíqueles que tienen que escribir -mientras hace el gesto apropiado- sí o *no* según las acciones que realizan los animales. Haga el ejemplo del mono con ellos. Diga: «¿El mono salta? Sí. ¿El mono corre? Sí. ¿El mono nada? No. ¿El mono anda? Sí. ¿El mono vuela? No. ¿El mono salta? No».

Sus estudiantes pueden trabajar en grupo para completar la tabla intercambiando sus opiniones.

3. Juega y responde.

Cuando hayan terminado, haga las siguientes preguntas para que respondan conforme a lo que hayan escrito en la tabla. Es muy probable que sus estudiantes no sepan si algunos animales realizan determinadas acciones o no y que la actividad genere preguntas entre ellos y ellas. Teniendo en cuenta las respuestas correctas, puede preparar y mostrar un vídeo en el que se vea a los animales realizando acciones que ellos no sabían que podían hacer o puede pedir a sus estudiantes que investiguen la actividad en Internet.

Profesor o profesora: «¿Qué hace el oso panda?».
Niño o niña: «El oso panda salta, corre, nada y camina».
Profesor o profesora: «¿Qué hace el gato?».
Niño o niña: «El gato salta, corre, nada».
Profesor o profesora: «¿Qué hace el pato?».
Niño o niña: «El pato salta, corre, nada, camina y vuela».

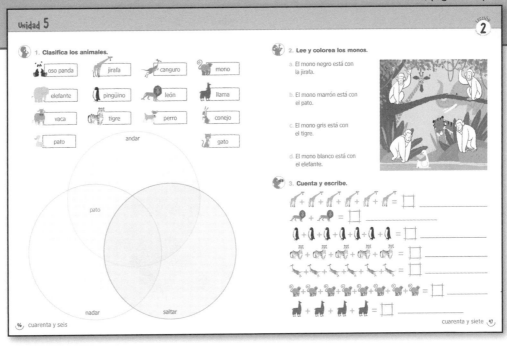

Profesor o profesora: «¿Qué hace el pingüino?».
Niño o niña: «El pingüino salta, nada y camina».
Profesor o profesora: «¿Qué hace el canguro?».
Niño o niña: «El canguro salta, corre y camina».
Profesor o profesora: «¿Qué hace el elefante?».
Niño o niña: «El elefante corre, camina y nada».
Profesor o profesora: «¿Qué hace la llama?».
Niño o niña: «La llama salta, corre y camina».

Otra opción complementaria es que sus estudiantes hagan la mímica cuando otro compañero o compañera diga qué acción realiza un animal.

> Refuerce este contenido con la actividad 1 de la página 46 del **Cuaderno de actividades** diseñada para trabajar la categorización como base para desarrollar el razonamiento lógico.

4. Escucha y canta.

Proyecte la tarjeta de *escucha* y, a continuación, la de *canta*, para que sus estudiantes digan los dos verbos y realicen los correspondientes gestos. Ponga el audio (pista 28) de la canción *El pato* mientras sus estudiantes siguen la letra impresa en el libro.

Luego, diga «vamos a cantar» y cante la canción con sus estudiantes dos veces.

5. Observa, dibuja tu animal y descríbelo.

Explíqueles que, después de haber cantado la canción de *El pato*, van a aprender las partes del cuerpo que tiene un pato. Introduzca el vocabulario nuevo, *el pico*, *el cuello*, *la pata* y *la cola*, con la ayuda del dibujo del pato. Intente que sus estudiantes repitan las palabras y, a continuación, pídales que dibujen un animal que tendrán que mostrar y describir.

> Practique la comprensión lectora con la actividad 2 de la página 47 del **Cuaderno de actividades** y refuerce los números mientras cuentan animales con la actividad 3.

C. ACTIVIDAD DE CIERRE

Tome a Tinta y pregunte a sus estudiantes qué acciones puede hacer Tinta. Sí, Tinta es muy especial porque nada, salta y habla español. Simule que les dice «Muy bien, niños y niñas. La clase de español ha terminado. Adiós, adiós. Nos vemos el… (día de la semana que volverán a tener clase de español)».

D. RECURSOS DIGITALES

Actividad 1: Relaciona las acciones (*saltar*, *correr*, *nadar*, *andar* y *volar*) con dibujos.

Actividad 2: Crucigrama digital de las partes de un animal.

LECCIÓN 3: Las aventuras de Tinta

A. ACTIVIDADES INICIALES

Comience la clase siguiendo el modelo propuesto en las unidades previas. Proyecte el cómic de la página 48 y pregúnteles qué animales ven.

B. ACTIVIDADES DEL LIBRO DEL ALUMNO

1. Mira, escucha y lee la historia.

Pida a sus estudiantes que abran el libro, mientras modela la acción de abrir el libro, y muéstreles la página en la que tienen que estar para que la reconozcan visualmente mientras dice y escribe en la pizarra el número 48. Proyecte, de uno en uno, el icono o muestre la tarjeta de *mira* y luego la de *escucha,* para que digan las consignas y realicen los gestos correspondientes. Proyecte el cómic o haga que la clase mire el libro y ponga el audio (pista 29) de la historia. Póngalo varias veces, deteniendo la grabación, para que sus estudiantes lo repitan mientras miran el cómic.

Pregunte a sus estudiantes cuál es el mensaje de este cómic. Se trata de una defensa de la lengua como vehículo de comprensión y de la importancia de la comunicación en las buenas relaciones sociales. Permita a sus estudiantes que se expresen en su lengua materna porque en este momento el foco está en la transmisión de valores y les sería imposible hacerlo en español.

> Refuerce estos contenidos con la actividad I de la página 48 del **Cuaderno de actividades** para que sus estudiantes se familiaricen con las onomatopeyas de cada animal presentado.

Las voces de los animales u onomatopeyas no son interlinguales ni transfronterizas, no son iguales en todas las lenguas y culturas, cambian mucho. Es posible que sus estudiantes se sorprendan cuando vean escritas o escuchen en la canción las onomatopeyas de las voces de los animales en español. En realidad, no es importante que las aprendan si en sus lengua materna son distintas. En Internet hay una curiosa página en la que se comparan estas voces de animales en distintos países o culturas lingüísticas. Si le parece divertido, para que los niños y niñas simplemente jueguen y se rían, y repasen los nombres de los animales, vaya a *erl-idiomas.com* o busque en su buscador habitual *así suena según el idioma* y descárguese el juego. Ponga algunas voces sin que sus estudiantes sepan de qué animales se trata y pídales que los adivinen.

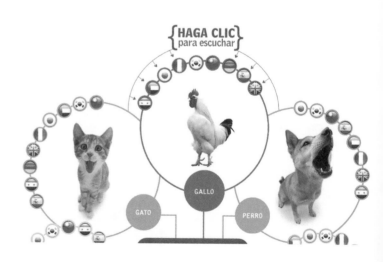

2. Dramatiza la historia.

A continuación, muestre el icono o la tarjeta de *dramatiza* para que digan la instrucción y realicen el gesto correspondiente. Divida la clase en grupos de siete y que cada estudiante elija un personaje, Valentina, Mateo, Tinta, el mono, el gato, el tigre y el perro. Tienen que leer dramatizando el cómic.

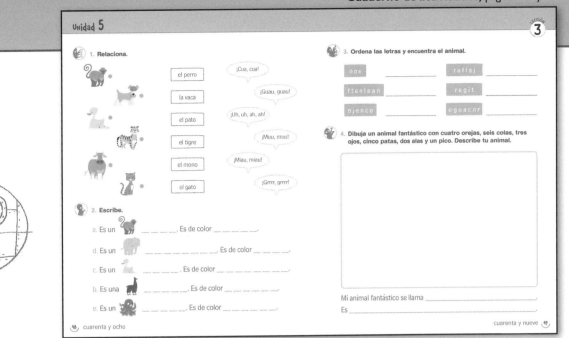

3. Escucha y canta.

Pídales que abran el libro por la página **49** y escriba en la pizarra el número; seguramente ya no será necesario que enseñe usted su libro por esa página, pues ya habrán interiorizado claramente la consigna. Muestre los iconos o las tarjetas de *escucha* y de *canta*, para que sus estudiantes digan y realicen los dos gestos. Ponga el audio (pista 30) de la canción *¿Quién soy?* mientras sus estudiantes siguen la letra leyendo la canción impresa en el libro.

Cante la canción con sus estudiantes dos veces.

4. Mira y adivina.

Pida a sus estudiantes que le miren y presten atención a la descripción que va a realizar de varios animales. Tienen que adivinar de qué animal se trata. Si cree que algún estudiante está preparado para realizar la descripción, permita que sean ellos y ellas quienes lo describan.

Refuerce estos contenidos con las actividades 2, 3 y 4 de las páginas 48 y 49 del **Cuaderno de actividades** diseñadas para practicar la lectoescritura de los nombres de los animales y los colores y para desarrollar la expresión oral a partir del dibujo pautado de un animal.

C. ACTIVIDAD DE CIERRE

Tome a Tinta y simule que dice: «Muy bien, niños y niñas. La clase de español ha terminado. Adiós, adiós. Nos vemos el… (día de la semana que volverán a tener clase de español)».

D. RECURSOS DIGITALES

Actividad 1: Cómic digital.

Actividad 2: Salvar la margarita con los nombres de los animales: *oso panda, jirafa, pingüino, león, llama, tigre, canguro, mono, elefante.*

LECCIÓN

4

LECCIÓN 4: Conexión con... Ciencias Naturales

Como seguramente ya se habrá dado cuenta, esta es la tercera sección de Conexión con… en la que tratamos algunos contenidos de Ciencias Naturales. Es lógico ya que es una de las materias más trabajadas a estas edades, el conocimiento del medio:

– En la Unidad 3 hemos trabajado con las plantas.
– En la Unidad 4, con el cuerpo humano.
– Y en esta trabajamos con los animales y su hábitat.

Estos tres componentes forman el contenido fundamental de las Ciencias Naturales en estas edades en la mayoría de los sistemas educativos.

A. ACTIVIDADES INICIALES

Comience la clase con una breve conversación preguntado a sus estudiantes cómo están y qué día de la semana es. Antes de entrar en la actividad propiamente dicha, proyecte la imagen y centre la atención de sus estudiantes en los diez animales. Pídales que los identifiquen y digan sus nombres. Después, señale la ilustración del bosque, diga «bosque» e intente que sus estudiantes repitan la palabra. Proceda del mismo modo con la ilustración de la granja.

B. ACTIVIDADES DEL LIBRO DEL ALUMNO

1. Observa y pega según el lugar donde vive cada animal.

A continuación, pida a sus estudiantes que digan si los animales dibujados viven en el bosque o en la granja. Después, explíqueles que tienen que buscar las pegatinas al final de sus libros y pegarlas en su lugar correspondiente. Por ejemplo, el mono vive en un árbol en el bosque. Hemos colocado distintos detalles para que solo haya una opción posible donde colocar las pegatinas, por ejemplo, zanahorias para el conejo.

2. Explica y habla con tu compañero.

Modele la siguiente pregunta y respuesta para toda la clase: «¿Dónde vive el mono? El mono vive en el bosque». A continuación, agrupe a sus estudiantes en parejas (evite, si le es posible, que siempre sean las mismas parejas) para que hagan turnos preguntándose dónde vive cada animal.

Refuerce estos contenidos con las actividades 1 y 2 de la página 50 del **Cuaderno de actividades** en las que continúan afianzando el aprendizaje del nombre de los animales y sus hábitat.

C. RECURSOS DIGITALES

Actividad 1: Sopa de letras interactiva con los siguientes animales: *oso panda, jirafa, león, vaca, mono, pato, perro y gato.*

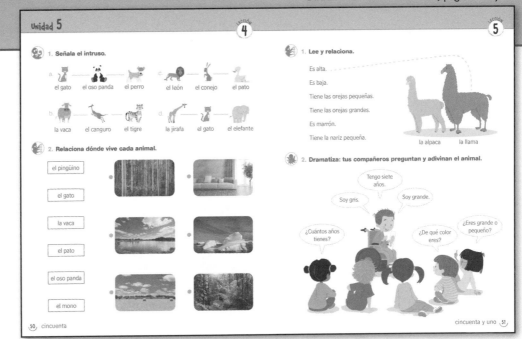

LECCIÓN 5: Explora Perú

Proyecte la página 51 del libro y explique a sus estudiantes que Mateo, Valentina y Tinta están viajando en el submarino a Perú porque quieren ver las llamas. Si dispone de un mapamundi en su aula, pida a sus estudiantes que sitúen Perú. Explote didácticamente la ilustración explicándoles que el Machu Picchu está en Perú, y que es una ciudad muy antigua construida en lo alto de una montaña. Si puede, muestre alguna fotografía de una llama y de Machu Picchu.

D. ACTIVIDADES DEL LIBRO DEL ALUMNO

1. Repasa la palabra y colorea la bandera.

Presente la tarjeta o el icono de *escribir* y pida a sus estudiantes que repasen las letras de la palabra *Perú*. Después, pregunte a un niño o a una niña cómo se deletrea.

A continuación, pregúnteles si saben de qué color es la bandera de Perú. Si algún estudiante lo sabe, irá indicando a los demás los colores que tienen que utilizar. Si nadie lo sabe, intente que sus estudiantes le pregunten a usted. «¿Es roja?» «¿Es verde?»... hasta que adivinen que el primer color es el rojo, el segundo es el blanco y el tercero, el rojo. Muestre finalmente una imagen (hay muchas en Internet) y pídales que la coloreen en sus libros.

2. Observa y escribe los números.

Haga que sus estudiantes se fijen en los dibujos de la llama y la alpaca, y explíqueles que la alpaca es un animal muy parecido a la llama, pero un poco más pequeño. Pídales que escriban en cada recuadro el número de la parte correspondiente del cuerpo de la llama.

3. Señala las diferencias entre la llama y la alpaca y responde.

Pregunte a sus estudiantes en qué se diferencian la llama y la alpaca observando los dibujos de la actividad 2. Es probable que sus estudiantes respondan en su lengua materna. Si es así, asienta con la cabeza si le están dando la información correcta y, a continuación, pregúnteles: «¿Quién tiene las orejas grandes?» «¿Quién es más alta?» «¿De qué color es la llama?»...

> Refuerce estos contenidos con la actividad 1 de la página 51 del **Cuaderno de actividades** para distinguir la llama de la alpaca mientras practican las descripciones físicas.

E. ACTIVIDAD DE CIERRE

Para concluir la clase, realice la actividad 2 del **Cuaderno de Actividades**. Pida a sus estudiantes que se sienten en círculo y que un o una estudiante se sitúe en el centro del círculo. Entréguele una tarjeta (*flashcard*) de un animal y el resto de la clase tiene que hacerle preguntas hasta que adivinen de qué animal se trata. Quien acierte pasa al centro del círculo. Repita la actividad hasta que se hayan adivinado varios animales. Póngales antes un ejemplo en el que sea usted quien haga las preguntas a sus estudiantes para ofrecer modelos a la clase. Haga énfasis exagerando la voz en las formas verbales de la segunda persona de singular (*tienes*, *eres*) para que vayan distinguiéndolas.

Por último, simule que Tinta dice «La clase de español ha terminado. Adiós, adiós. Nos vemos el... (día de la semana que volverán a tener clase de español)».

F. RECURSOS DIGITALES

Actividad 1: Juego de *memory* con las partes del cuerpo de la llama: *los ojo, la nariz, las orejas, el cuello, las patas, la cola.*

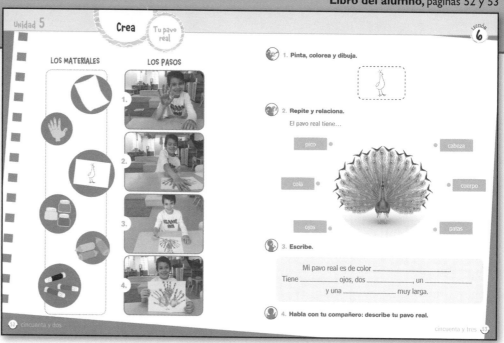

LECCIÓN 6: Crea tu pavo real

A. ACTIVIDADES INICIALES

Comience la clase siguiendo el modelo propuesto en las unidades previas y preguntando a sus estudiantes cómo están, qué día de la semana es y qué tiempo hace.

A continuación, proyecte la página 52 del libro y explique a sus estudiantes que van a dibujar un pavo real. Si es posible, muéstreles una fotografía de un pavo real y coménteles que el pavo real se caracteriza por tener una cola muy larga con unas manchas en las plumas que parecen ojos.

B. ACTIVIDADES DEL LIBRO DEL ALUMNO

Presente los materiales que van a utilizar y pida a los estudiantes que los repitan.

Materiales

Cartulina: para que fotocopie en ella la plantilla del cuerpo del pavo real, una por cada estudiante, y para que realicen en ella la actividad completa.

La mano de sus estudiantes: para manchársela de pintura de manos y realizar así la cola del pavo.

Plantilla del cuerpo del pavo real: al final de esta guía, en la página 80, encontrará la plantilla. Fotocopie una por cada estudiante.

Pintura de manos: para que los niños y niñas dibujen la cola del pavo real, imprimiendo su mano sobre la cartulina.

Lápices de colores: para que coloreen a su gusto el cuerpo de su pavo real.

Rotuladores de colores: para que cada estudiante dibuje a su gusto los ojos de la cola de su pavo real.

1. Pinta, colorea y dibuja.

Proyecte, si le es posible, la página 52, para que sepan los materiales que necesitan y cual es la actividad, y muéstreles las cuatro fotos, para que conozcan los pasos que deben seguir. Pida a los niños y niñas que coloreen el cuerpo del pavo real. Aunque no sea muy real, pueden hacerlo del color que más les guste. A continuación, tienen que mojar la palma de la mano en la pintura especial para el cuerpo y posarla tres veces para hacer la cola del animal. También pueden elegir los colores que más les gusten. Lo importante es que creen su pavo real y que, en las actividades siguientes, dé juego para que puedan hablar e interactuar. A continuación, tienen que pintar los ojos de la cola usando los rotuladores o los lápices de colores.

2. Repite y relaciona.

Haga la mímica de *repite* mientras usted lee las partes del cuerpo del pavo real e intente que sus estudiantes las repitan de una en una después de usted. Puede pedir, como complemento y refuerzo, que un voluntario o una voluntaria las lean después solos en voz alta y que el resto de la clase las repitan. Elija a varios niños y niñas. Otro día lo harán otros. A continuación, pida a los niños y niñas que relacionen con flechas las partes del cuerpo del pavo real.

3. Escribe.

Ahora que ya han repasado las partes del cuerpo del pavo real, haga la mímica de *escribe*, para que completen la descripción de un pavo real. Explíqueles que tienen que escribir las palabras que faltan usando las pistas que les dan.

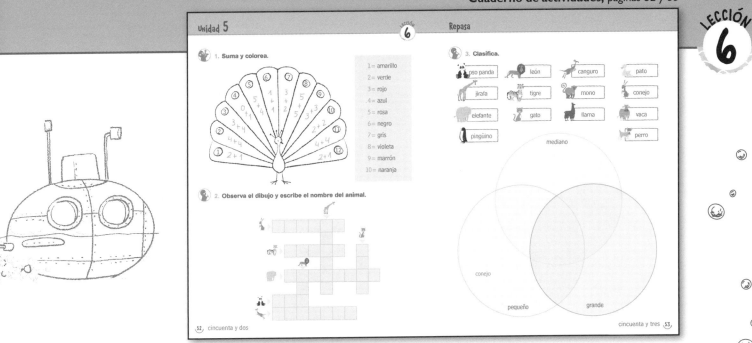

Cuaderno de actividades, páginas 52 y 53

4. Habla con tu compañero: describe tu pavo real.

Para terminar la clase, agrupe a sus estudiantes en parejas o en grupos de cuatro para que cada pareja describa su pavo real siguiendo el modelo de la actividad 3.

C. ACTIVIDAD DE CIERRE

Tome a Tinta y simule que dice «Muy bien, los pavos reales son muy bonitos. Me gustan mucho. La clase de español ha terminado. Adiós, adiós.».

Las actividades de las paginas 52 y 53 del **Cuaderno de ejercicios** son un repaso de toda la Unidad 5 para trabajarlas en el momento que usted, profesor o profesora, considere más apropiado. Se pueden realizar al finalizar la unidad o intercaladas durante las lecciones. Sin embargo, la actividad 1 de la página 52 está especialmente diseñada para que sirva como complemento de esta lección 6 y para que repasen los números y los colores. Las otras dos actividades quizá las puede hacer con la lección 3.

Unidad 6

Esta es mi familia

OBJETIVOS:

- Reconocer y reproducir las palabras: *la mamá, el papá, el hermano, la hermana, el abuelo* y *la abuela.*
- Reconocer y reproducir los verbos: *dibujar, leer, bailar, correr, jugar* y *comer.*
- Reconocer y reproducir los adjetivos: *contento/a, cansado/a, sorprendido/a, triste* y *enfadado/a.*
- Reconocer y reproducir: *derecha, izquierda, delante, detrás.*
- Reconocer Cuba y el baile del chachachá.
- Uso de las estructuras: *soy, ¿cómo estás?, me gusta* y *¿dónde está?*
- Repasar el vocabulario y las estructuras trabajadas en las unidades anteriores.

LECCIÓN 1

En la última unidad de *Submarino I* sus estudiantes van a conocer los sustantivos para hablar de la familia, los verbos de acción cotidiana, los adjetivos para describir estados de ánimo y sentimiento y los adverbios de lugar. La ilustración que abre la unidad presenta a Valentina y a su familia realizando diferentes acciones en el jardín. No solo muestra a la familia, sino también sus estados de ánimo, acciones y la ubicación. Por esta razón, es una buena idea iniciar el trabajo con la unidad proyectando la ilustración y pidiendo a sus estudiantes que la describan. De este modo, podrá introducir el vocabulario nuevo (la familia y las acciones) y repasar todo el léxico visto (la descripción física, los colores, la ropa…). El uso de la ilustración es un recurso al que le hemos recomendado recurrir durante todo el curso, bien usando el libro o bien proyectando o imprimiendo la ilustración digital completa, para dar coherencia a las actividades planteadas.

Además, le sugerimos avanzar en el trabajo con las consignas. Es previsible que ahora sean completamente autónomos y que no necesiten su ayuda. Le sugerimos que, antes de em-

pezar cualquier actividad y siempre que estén con los libros abiertos, pida a un voluntario o una voluntaria que lea la instrucción en voz alta y el resto de la clase realice el gesto o los gestos correspondientes. Vaya cambiando de voluntario o voluntaria y asegúrese de que, a lo largo de la unidad, todos los niños y niñas participan por igual y leen el mismo número de consignas, más o menos. Quizá, para facilitar el trabajo, elija en los primeros momentos a quienes considere más aventajados.

A. ACTIVIDADES INICIALES

Comience la clase con una conversación preguntando a sus estudiantes cómo están, qué día de la semana es y qué tiempo hace. Intente que sus estudiantes interactúen y pregunten a Tinta y a usted cómo están.

B. ACTIVIDADES DEL LIBRO DEL ALUMNO

1. Mira, repite y señala.

Una vez que haya trabajado brevemente con la ilustración de entrada (los libros pueden seguir cerrados, para que todos los niños y niñas estén centrados en el mismo recurso didáctico) introduzca los miembros de la familia (*la mamá, el papá, el hermano, la hermana, el abuelo* y *la abuela*) con las tarjetas (*flashcards*) y pida a sus estudiantes que repitan el nombre de cada uno de ellos. Diga entonces las distintas palabras desordenadas y pida a sus estudiantes que señalen a las personas en la ilustración proyectada o impresa. A continuación, jueguen a *Los loros inteligentes*, para que los niños y niñas se familiaricen con el léxico aprendido. Explique a sus estudiantes que van a ser loros y, como tales, cuando usted enseñe una de las tarjetas (*flashcards*) y diga la palabra en español, ellos y ellas deberán repetirla. Sin embargo, al tratarse de loros muy inteligentes, solo repetirán las palabras que sean correctas. Es decir, cuando usted diga «la mamá» y enseñe la tarjeta de otro miembro de la familia, sus estudiantes se tienen que quedar callados. En cambio, cuando diga «la mamá» y enseñe la tarjeta correspondiente, todos deberán repetir la palabra, y así sucesivamente con el resto de los miembros de la familia.

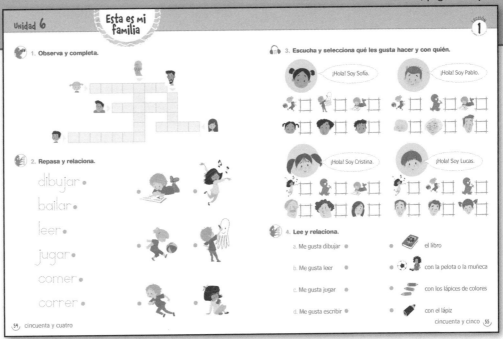

2. Mira y repite.

Continúe con los libros cerrados. Presente las seis acciones con las seis tarjetas. Cuando los niños y niñas ya estén familiarizados con el nuevo vocabulario, pídales que abran el libro por la página 55, mientras modela la acción de abrirlo, y muéstreles la página en la que tienen que estar para que la reconozcan visualmente. Pida que un voluntario o una voluntaria lea en voz alta la instrucción e invite al resto de la clase a que haga los dos gestos, *mirar* y *repetir*. Seguidamente, lea de forma desordenada el vocabulario de la familia que aparece escrito y pida a los niños y niñas que señalen la ilustración correspondiente mientras dicen «Aquí, aquí». Como complemento y preparación de la audición, pregunte «¿Quién dibuja?», por ejemplo, para que contesten «El hermano», y así con todos los miembros de la familia.

Refuerce los seis verbos con la actividad 2 de la página 54 del **Cuaderno de actividades**.

Y es que, en la audición, hemos añadido una dificultad, pues progresivamente las clases deben ser un poco más exigentes. Ya no van a escuchar la palabra que representa una pegatina, sino que van a escuchar la descripción de un miembro de la familia de Valentina y la acción que realiza, y los niños y niñas deben interpretar qué pegatina encaja. Por ejemplo, van a escuchar al hermano decir «¡Hola! Soy el hermano de Valentina. Me gusta dibujar» y sus estudiantes van a tener que interpretar que la pegatina correspondiente es la de los lápices de colores.

Ahora, escucha y pega.

Pida a un voluntario o una voluntaria que lea en voz alta la instrucción y pida al resto de la clase que realice los dos gestos, *escucha* y *pega*. A continuación, ponga el audio (pista 31) e indique a los niños y niñas que peguen las pegatinas en el lugar correspondiente.

Una vez que haya comprobado que todos sus estudiantes han pegado las pegatinas de forma correcta, señale a uno de los miembros de la familia y pregunte «¿Quién es?». Es probable que sus estudiantes digan solo «papá», y este es el momento en el que usted dirá «Muy bien, es el papá». Repita la misma secuencia con el resto del léxico y, a continuación, pregunte «¿Dónde está (un miembro de la familia)?».

3. Repite, haz mímica y responde.

Pida a otro voluntario o voluntaria que lea la instrucción. Como sus estudiantes, para poder hacer los gestos, deben interpretarlos, quizá debería ayudarlos haciendo usted también los gestos de *repetir*, *hacer mímica* (*dramatizar*) y *responder* (*hablar*). A continuación, dramatice el diálogo mientras hace la mímica de las acciones (*bailar* y *dibujar*). Pida a sus estudiantes que, en parejas, digan «me gusta (una acción)», mientras hacen la mímica correspondiente.

Refuerce contenidos léxicos y el verbo *gustar* con las actividades 3 y 4 de la página 55 del **Cuaderno de actividades**.

C. ACTIVIDAD DE CIERRE

Tome a Tinta y simule que dice: «Muy bien, niños y niñas. La clase de español ha terminado. Adiós, adiós. Nos vemos el… (día de la semana que volverán a tener clase de español)».

D. RECURSOS DIGITALES

Actividad 1: Pulsa sobre la palabra que escuchas (los miembros de la familia).

Actividad 2: Relaciona las frases con las ilustraciones.

1. Me gusta leer.	4. Me gusta dibujar.
2. Me gusta correr.	5. Me gusta comer.
3. Me gusta bailar.	6. Me gusta jugar.

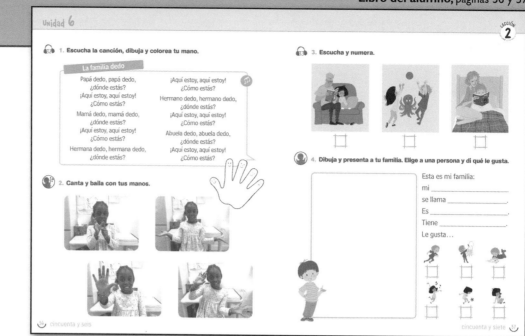

LECCIÓN 2

A. ACTIVIDADES INICIALES

Comience la clase preguntando a sus estudiantes cómo están, qué día de la semana es y qué tiempo hace. Simule que Tinta habla y pregunta a un niño o a una niña «¿Te gusta bailar?» y así sucesivamente con varios estudiantes y distintas acciones. Intente que contesten con frases completas «Sí, me gusta bailar» o «No, no me gusta bailar».

B. ACTIVIDADES DEL LIBRO DEL ALUMNO

Pídales que abran el libro por la página 56, mientras modela la acción de abrirlo.

1. Escucha la canción, dibuja y colorea tu mano.

Pida a un voluntario o voluntaria que lea la instrucción para que el resto de la clase haga los tres gestos correspondientes. Ponga el audio de la canción *La familia dedo* (pista 32) varias veces para que se familiaricen con la letra. A continuación, pídales que dibujen y coloreen en una de sus manos a la familia dedo, siguiendo el orden en el que aparecen los miembros de la familia en la canción.

2. Canta y baila con tus manos.

Muestre a sus estudiantes la siguiente coreografía para bailar con las manos la canción *La familia dedo*:

– Señale su dedo pulgar mientras canta «Papá dedo, papá dedo».

– Abra sus brazos y ponga las palmas de las manos hacia arriba mientras canta «¿Dónde estás?».

– Enseñe su mano y mueva el dedo pulgar hacia delante y hacia atrás mientras canta «¡Aquí estoy, aquí estoy!».

– Mueva los brazos de un lado a otro, mientras enseña las palmas de las manos y canta «¿Cómo estás?».

Repita la misma secuencia con el resto de los dedos y los miembros de la familia.

> Refuerce la lectoescritura y la comprensión de los nombres de los miembros de la familia con la actividad 1 de la página 56 del **Cuaderno de actividades**.

3. Escucha y numera.

Pida que un voluntario o una voluntaria lea en voz alta la instrucción y que el resto de la clase haga los dos gestos correspondientes. Pídales que escuchen el audio (pista 33) y numeren las ilustraciones, según indique el audio.

> Refuerce los verbos y, sobre todo, el verbo *gustar* con la actividad 2 de la página 56 del **Cuaderno de actividades**.

4. Dibuja y presenta a tu familia. Elige a una persona y di qué le gusta.

Como están casi al final del curso y sus estudiantes han adquirido muchos conocimientos y, especialmente, han desarrollado muchas habilidades lingüísticas, esta actividad 4 es bastante exigente, por lo que le recomendamos que antes de hacerla, realicen las actividades 3 y 4 del **Cuaderno de actividades**, pues son una buena preparación secuenciada. Proyecte o muestre la imagen inferior de la página 57 y explique a sus estudiantes que tienen que dibujar a su familia en el recuadro. A continuación, pídales que elijan a uno de los miembros de la familia que han dibujado y que lo describan, completando las frases y que marquen las casillas de

> Como le decíamos, le sugerimos que realice previamente las actividades 3 y 4 de la página 57, del **Cuaderno de actividades**. La actividad 3 es un repaso de los colores y la ropa. La actividad 4 proporciona un modelo que sus estudiantes podrán seguir cuando redacten su propio texto.

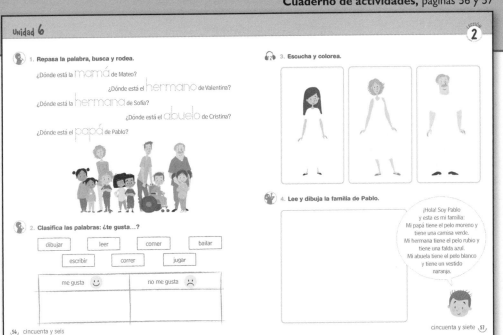

las actividades que le gustan al familiar que han escogido. Por último, pídales que presenten su trabajo a un compañero o compañera.

Como bien sabe, y sin intención de entrar en campos de conocimiento ajenos a este libro y a nuestros objetivos, los dibujos infantiles de la familia reflejan la evolución de los niños y niñas y muestran su afectividad. Deles tiempo para dibujar y deje que se expresen libremente. Siéntense en corro y pida que, de uno en uno, vayan presentando al familiar que han elegido, lo describan y digan lo que le gusta. Guarde sus dibujos para cuando realicen la lección 6 y última.

C. **ACTIVIDAD DE CIERRE**

Tome a Tinta y simule que habla. A continuación, acérquense a un niño o a una niña diciendo: «Me gusta leer con mi (miembro de la familia). ¿Y a ti?» y haga hincapié en que conteste con una frase completa «Sí, me gusta leer con mi (miembro de la familia)». Repita esta misma secuencia con diferentes estudiantes y acciones. Por último, simule que Tinta dice «Muy bien, niños y niñas. La clase de español ha terminado. Adiós, adiós. Nos vemos el… (día de la semana que volverán a tener clase de español)».

D. **RECURSOS DIGITALES**

Actividad 1: Juego de *memory* de imágenes y palabras escritas con audio (*la familia, la mamá, el papá, el hermano, la hermana, el abuelo y la abuela, jugar, dibujar, leer, comer, bailar y escribir*).

Actividad 2: Lee y elige la opción correcta.

Esta es mi hermana. Tiene la boca grande, la nariz pequeña, los ojos azules, el pelo moreno, las orejas pequeñas y le gusta jugar.

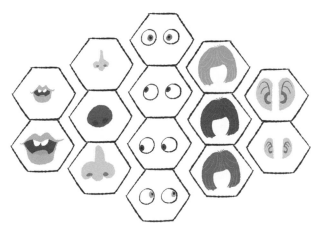

LECCIÓN 3: Las aventuras de Tinta

A. ACTIVIDADES INICIALES

Comience la clase preguntando a sus estudiantes cómo están, qué día de la semana es y qué tiempo hace. Simule que Tinta canta y dice «Papá dedo, papá dedo, ¿dónde estás?» e invite a los niños y niñas a continuar la canción, mientras hacen la coreografía con las manos.

B. ACTIVIDADES DEL LIBRO DEL ALUMNO

1. Mira, escucha y lee la historia.

Diga a sus estudiantes que abran el libro por la página 58. Pida que un voluntario o una voluntaria lea la instrucción y que el resto de la clase haga los tres gestos. Proyecte el cómic o haga que la clase mire el libro y ponga el audio (pista 34) de la historia. Reprodúzcalo varias veces deteniendo la grabación para que sus estudiantes lo repitan mientras miran el cómic.

> Le recomendamos que realice ahora las actividades 1, 2 y 3 de las páginas 58 y 59 del **Cuaderno de actividades**. La actividad 1 es una forma lúdica de repasar el concepto de familia. Por su parte, las actividades 2 y 3 permitirán a sus estudiantes ver claramente y comprender los adjetivos de sentimiento que aparecen en el cómic y les ayudarán a realizar después con facilidad la actividad 3 del **Libro del alumno**.

2. Dramatiza la historia

Vuelva al libro, a la página 58, y pida que un voluntario o una voluntaria lea la instrucción y que el resto de la clase haga gestos exagerados con la cara. Pídales que formen grupos de tres y que cada estudiante debe elegir uno de los personajes para leer en voz alta y dramatizar el cómic con su grupo.

Tinta y sus compañeros y compañeras de clase están jugando a dramatizar diferentes estados de ánimo. A través del juego, los niños y niñas aprenden a reconocer sus emociones, lo que constituye el primer paso para poder gestionarlas. Aprender a identificar y ser capaces de nombrar aquello que nos pasa (autoconocimiento) es la base de la educación emocional. Pero también es importante la empatía, saber reconocer los sentimientos de los demás.

3. Observa, lee y dibuja la boca.

Realice la presentación de la actividad y pida a sus estudiantes que lean cada una de las frases y dibujen la boca de los miembros de la familia, según su estado de animo. A continuación, haga hincapié en la concordancia de género y diga «La mamá está contenta y el abuelo está contento». A continuación, pregunte «¿Cómo está el papá?» y cuando respondan «cansado», usted dirá «Muy bien, el papá está cansado», y así sucesivamente con el resto de miembros de la familia.

> Refuerce estos contenidos con la actividad 4 de la página 59 del **Cuaderno de actividades**.

4. Juega con tus compañeros.

Pida a uno de sus estudiantes que se levante y haga la mímica de una de las emociones trabajadas. A continuación, pida al resto de niños y niñas que levanten la mano para intentar adivinar de qué sentimiento se trata. Seguramente sus estudiantes responderán «enfadado/a», entonces haga hincapié en que digan frases completas como «¿Estás enfadado/a (el nombre del estudiante)?», prestando especial atención a la concordancia de género.

C. ACTIVIDAD DE CIERRE

Tome a Tinta y pregúntele «¿Cómo estás, Tinta?», simule que Tinta habla y dice en un tono enfadado «Estoy enfadado». Vuelva a preguntar a Tinta «¿Cómo estás, Tinta?», simule que

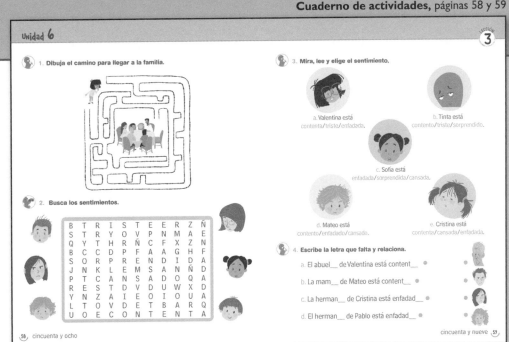

Tinta habla y dice con poca energía «Estoy cansado». A continuación, pregunte a varios estudiantes «¿Cómo estás?»

D. RECURSOS DIGITALES

Actividad 1: Cómic digital.

Actividad 2: Relaciona las frases con las ilustraciones.

1. Estoy contento.

2. Estoy triste.

3. Estoy contenta.

4. Estoy enfadada.

5. Estoy enfadado.

6. Estoy sorprendido.

7. Estoy sorprendida.

8. Estoy cansada.

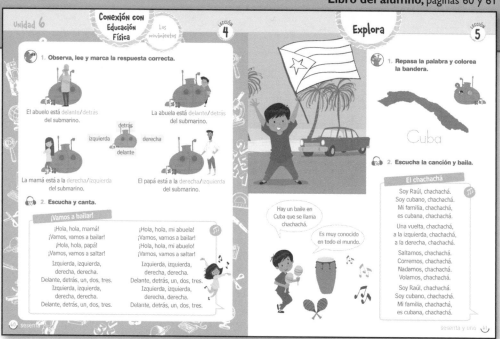

LECCIÓN 4: Conexión con... Educación Física

A. ACTIVIDADES INICIALES

Comience la clase preguntando a sus estudiantes cómo están, qué día de la semana es y qué tiempo hace. Diga «Me gusta leer» y, a continuación, pregunte a un o una estudiante «¿Te gusta leer?» y así sucesivamente con varios estudiantes y varias acciones. Combine la forma afirmativa «Me gusta...» con la forma negativa «No me gusta...».

B. ACTIVIDADES DEL LIBRO DEL ALUMNO

Pida a un niño o niña que salga a la pizarra, tome a Tinta, póngalo delante del estudiante y diga «Tinta está delante de (nombre del estudiante)». Pida a sus estudiantes que repitan la palabra «delante». Repita la misma secuencia con el resto de posiciones (*detrás, izquierda* y *derecha*). A continuación, pida a tres estudiantes que se levanten y vayan al frente de la clase para jugar al juego *Posiciones*. Dígales que deben moverse siguiendo sus indicaciones. Por ejemplo, diga «(nombre de uno de sus estudiantes) está delante de (nombre del segundo estudiante)».

1. Observa, lee y marca la respuesta correcta.

Pídales que abran los libros por la página 60, proyecte la primera actividad y, mostrando el dibujo del submarino, muestre las distintas posiciones (*delante, detrás, izquierda* y *derecha*). A continuación, forme parejas o grupos pequeños y pida a sus estudiantes que marquen la opción correcta en cada una de las frases.

2. Escucha y canta.

Ponga el audio de la canción *¡Vamos a bailar!* (pista 35), pídales que se levanten y sigan la siguiente coreografía:

– Sus estudiantes saludan con la mano mientras cantan «¡Hola, hola, mamá!».

– Sus estudiantes bailan mientras cantan «¡Vamos a bailar!».

– Sus estudiantes saludan con la mano mientras cantan «¡Hola, hola, papá!».

– Sus estudiantes saltan mientras cantan «¡Vamos a saltar!».

– Sus estudiantes se desplazan hacia la izquierda mientras cantan «izquierda, izquierda».

– Sus estudiantes se desplazan hacia la derecha mientras cantan «derecha, derecha».

– Sus estudiantes se desplazan hacia delante mientras cantan «delante».

– Sus estudiantes se desplazan hacia atrás mientras cantan «detrás».

– Sus estudiantes dan tres saltos mientras cantan «un, dos, tres».

Siga el mismo patrón con el resto de la canción.

> Refuerce estos contenidos con las actividades 1 y 2 de la página 60 del **Cuaderno de actividades**.

C. ACTIVIDAD EXTRA

Tome a Tinta, póngalo delante de un estudiante y pregunte al resto de la clase «¿Dónde está Tinta?». Seguramente sus estudiantes responderán «delante», entonces diga «Sí, Tinta está delante de (nombre del estudiante)». Cambie de posición a Tinta y pregunte a sus estudiantes «¿Dónde está Tinta?», y así sucesivamente con todas las posiciones trabajadas. Por último, simule que Tinta dice «La clase de español ha terminado. Adiós, adiós. Nos vemos el... (día de la semana que volverán a tener clase de español)».

D. RECURSOS DIGITALES

Actividad 1: Elige la respuesta correcta.

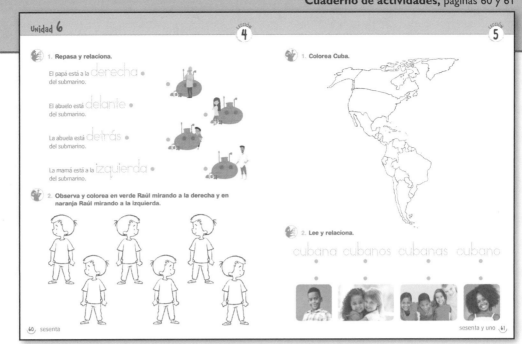

LECCIÓN 5: Explora Cuba

E. ACTIVIDADES DEL LIBRO DEL ALUMNO

Proyecte la página 61 del libro y explique a sus estudiantes que Mateo, Valentina y Tinta han viajado en el submarino hasta Cuba para bailar con Raúl el chachachá. Explíqueles que el chachachá es un baile muy popular en todo el mundo. Explote didácticamente la ilustración preguntando a sus estudiantes «¿De qué color es el pelo de Raúl?», «¿De qué color es su camiseta?», etc. Seguramente sus estudiantes responderán «moreno» y «rojo», entonces diga «Sí, Raúl tiene el pelo moreno» y «Sí, lleva una camiseta roja».

1. Repasa la palabra y colorea la bandera.

Explique a sus estudiantes que Cuba es un país donde se habla español y cuya bandera es de color azul y rojo. Pídales que repasen la palabra *Cuba* y coloreen la bandera según se indica. A continuación, señale la imagen de Raúl bailando e indique los instrumentos que aparecen: las maracas y la conga.

2. Escucha la canción y baila.

Pida que un voluntario o una voluntaria lea la instrucción y que el resto de la clase haga los dos gestos. Ponga el audio de la canción *El chachachá* (pista 36) varias veces para que se familiaricen con la letra. A continuación, pida a sus estudiantes que se levanten para bailar con usted la canción. Indíqueles que sigan la letra de la canción y hagan los movimientos de las acciones que se van nombrando (*una vuelta, a la izquierda, a la derecha, saltamos, corremos, nadamos, volamos*).

> Refuerce estos contenidos con las actividades de la página 61 del **Cuaderno de actividades**.

El chachachá es un baile y un ritmo de origen cubano que nació en 1950. El nombre es una onomatopeya del sonido que hacen los bailarines al arrastrar los pies. Hoy es muy conocido en todo el mundo y se reconoce como típicamente cubano.

F. ACTIVIDAD DE CIERRE

Tome a Tinta y simule que dice: «Muy bien, niños y niñas. La clase de español ha terminado. Adiós, adiós. Nos vemos el… (día de la semana que volverán a tener clase de español)».

G. RECURSOS DIGITALES

Actividad 1: Lee y relaciona.

¡Hola! Soy cubano.	Dos niñas
¡Hola! Soy cubana.	Una niña
¡Hola! Somos cubanas.	Un niño
¡Hola! Somos cubanos.	Niños y niñas

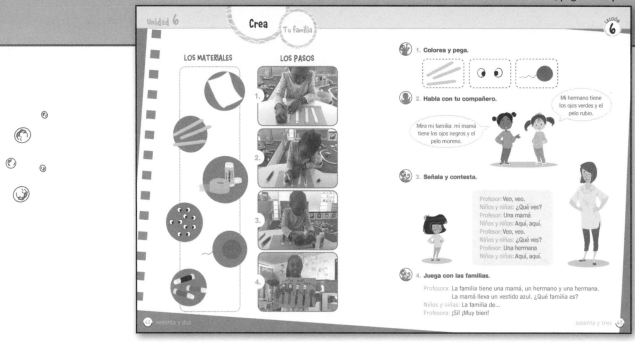

LECCIÓN 6: Crea tu familia

A. ACTIVIDADES INICIALES

Comience la clase preguntando a sus estudiantes cómo están, qué día de la semana es y qué tiempo hace. Simule que Tinta canta «una vuelta, chachachá» y pida a sus estudiantes que hagan la acción correspondiente, y así sucesivamente con el resto de la canción.

A continuación, proyecte la página 62 del libro y explique a sus estudiantes que van a dibujar a su familia.

B. ACTIVIDADES DEL LIBRO DEL ALUMNO

Presente los materiales que van a utilizar y pida a los estudiantes que los repitan.

Materiales

Una cartulina: para que sus estudiantes realicen en ella la representación de su familia. Puede llevar varias, de distintos colores, para que cada niño o niña elija la de su color preferido.

Palitos: para representar un miembro de su familia en cada uno y pegarlos en la cartulina.

Cinta adhesiva o pegamento: para pegar los palitos.

Ojos adhesivos: para poner de forma animada los ojos. Si no dispone de este recurso, puede pedirles que dibujen unos ojos, como los de la página 63 del libro, y que los coloreen.

Lana: para que la recorten y peguen simulando el pelo. Si le es posible, lleve lanas de distintos colores, para que elijan si el familiar es rubio, castaño, moreno, pelirrojo o tiene el pelo gris o blanco.

Rotuladores de colores: para que pinten los palitos.

1. Colorea y pega.

Pídales que tomen tantos palitos como miembros de la familia quieran dibujar, que los coloreen y que utilicen la lana para crear el pelo de cada familiar así como los ojos adhesivos para obtener caras más expresivas. Cuando tengan todos los miembros de la familia dibujados, pídales que los peguen en la cartulina y dibujen un fondo.

2. Habla con tu compañero.

Pida a sus estudiantes que, en parejas, presenten a su familia al compañero o compañera. Pídales que sigan el modelo del libro y digan «Mira mi familia: mi mamá tiene los ojos (color) y el pelo (color)», y así sucesivamente con el resto de miembros de la familia que hayan dibujado. Para guiar a sus estudiantes, dibuje previamente a su familia y preséntesela al grupo.

3. Señala y contesta.

Pida a los niños y niñas que se sienten en corro con el dibujo de su familia. A continuación, juegue al *Veo, veo*, siguiendo este ejemplo:

Profesor o profesora: «Veo, veo».

Niños y niñas: «¿Qué ves?».

Profesor o profesora: «Veo una mamá con el pelo moreno y los ojos azules».

Niño o niña: «Aquí, aquí».

LECCIÓN
6

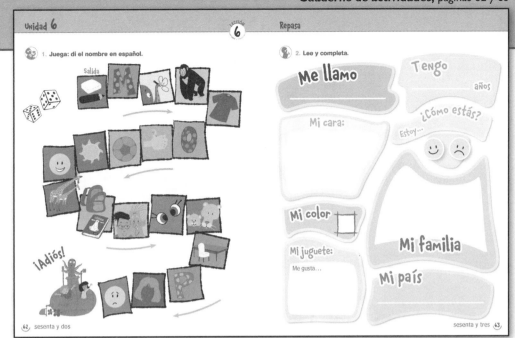

Unidad 6   Lección 6   Repasa

1. Juega: di el nombre en español.

Salida

¡Adiós!

62 sesenta y dos

2. Lee y completa.

Me llamo

Tengo
años

Mi cara:

¿Cómo estás?
Estoy...

Mi color

Mi juguete:
Me gusta...

Mi familia

Mi país

sesenta y tres 63

4. Juega con las familias.

Cuelgue los dibujos de sus estudiantes en la pizarra y numérelos. A continuación, describa una de las familias que ha colgado en la pizarra y pida a sus estudiantes que traten de adivinar de cuál se trata. Siga este modelo:

Profesor o profesora: «La familia tiene una mamá, un hermano y una hermana. La mamá lleva un vestido azul. ¿Qué familia es?».

Niño o niña: «La familia 5».

Profesor o profesora: «¡Sí! ¡Muy bien!».

> Las actividades 1 y 2 de las páginas 62 y 63 del **Cuaderno de actividades** son un juego y una actividad productiva de repaso de todo el libro para trabajarlos en el momento que cada profesor o profesora considere más apropiado. Se pueden utilizar al final de la unidad o intercalados durante las lecciones, pero le recomendamos que, al menos la 2, la utilice como última actividad y cierre del curso.

C. ACTIVIDAD DE CIERRE

Tome a Tinta y simule que dice «Muy bien, niños y niñas. La clase y el curso de español han terminado. Estoy muy contento, ya habláis español. Adiós, adiós.». Y haga que Tinta se despida, uno por uno, de todos sus estudiantes.

D. RECURSOS DIGITALES (REPASO DE TODO EL LIBRO)

Actividad 1: Juego de *memory* con vocabulario de todas las unidades (repaso final).

Tarjetas con palabras (12) y tarjetas con imágenes (12).
Camiseta, triste, rubio, mamá, mesa, silla, ojos, abuelos, mochila, pelota, dibujar, hace frío.

Actividad 2: Relaciona las preguntas con la respuesta correcta.

1. ¿Cómo estás?   A. Tengo 6 años.

2. ¿Cómo te llamas?   B. Sí, me gusta leer.

3. ¿Cuántos años tienes?   C. Estoy contento.

4. ¿Te gusta leer?   D. No, tengo los ojos marrones.

5. ¿Tienes los ojos verdes?   E. Me llamo Pablo.

edelsa

71

material fotocopiable

Canta

Dramatiza

Escucha

Colorea

Pega

Recorta

Muévete

Cuenta y ordena

Mira

Relaciona

Repite

Juega

Escribe, repasa y dibuja

Habla

lunes

Martes

Miércoles

Jueves

Viernes

Sábado

Domingo

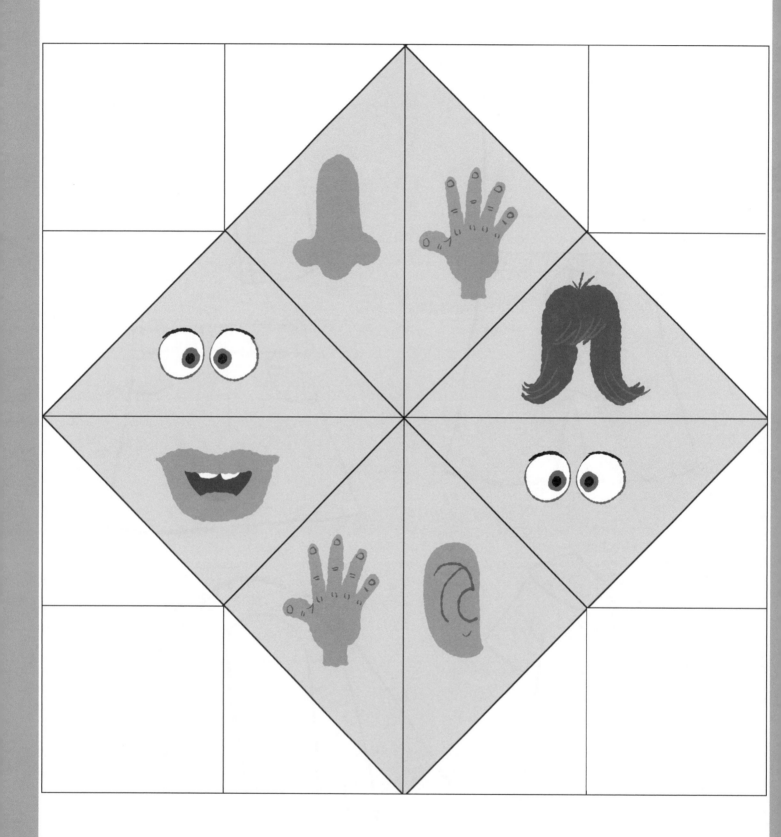